AU SERVICE DU DIABLE

est le trois cent soixante-quatorzième livre publié par Les éditions JCL inc.

LES ÉDITIONS JCL

30 ans

1977
2007

Catalogage avant publication de Bibliothèque et Archives nationales du Québec et Bibliothèque et Archives Canada

Daneau, Martin,

Au service du diable

ISBN 978-2-89431-374-9

(Collection Couche-tard)

I. Titre.

PS8557.A523A9 2007 C843'.54 C2007-941059-6

PS9557.A523A9 2007

Édition originale : août 2007

Au service du diable

DU MÊME AUTEUR :

Le Reflet du silence, roman, Saint-Alphonse-de-Granby, Éditions de la Paix, 1996, 160 pages.

Les éditions JCL inc.
930, rue Jacques-Cartier Est, CHICOUTIMI (Québec) CANADA G7H 7K9
Tél. : (418) 696-0536 – Téléc. : (418) 696-3132 – www.jcl.qc.ca
ISBN : 978-2-89431-374-9

MARTIN DANEAU

Au service du diable

Roman policier

LES ÉDITIONS JCL

Nous reconnaissons l'aide financière du gouvernement du Canada par l'entremise du Programme d'aide au développement de l'industrie de l'édition (PADIÉ) pour nos activités d'édition. Nous bénéficions également du soutien de la SODEC et, enfin, nous tenons à remercier le Conseil des Arts du Canada pour l'aide accordée à notre programme de publication.
Gouvernement du Québec – Programme de crédit d'impôt pour l'édition de livres – Gestion SODEC

« Un mensonge qui est une moitié de vérité
est le plus noir des mensonges. »
Tennyson

Chapitre 1

Mercredi, 16 h 35

De petites bourrasques soufflaient sur la ville de Montréal. Un léger brouillard flottait sur le fleuve Saint-Laurent comme un linceul enveloppant le cours d'eau qui clapotait paresseusement. Les vaguelettes ressemblaient à des danseurs drapés d'écume qui auraient chevauché le courant.

Tôt dans la matinée, une pluie diluvienne s'était abattue sur la région. La surface du Saint-Laurent avait été criblée par les larmes du ciel qui avaient tambouriné aussi avec acharnement sur toutes les toitures. L'eau dans les caniveaux avait gonflé et les piétons avaient couru pour se mettre à l'abri. Le tonnerre avait grondé et des éclairs avaient zébré le ciel noir et fait trembler l'air chargé d'humidité. Puis, en début d'après-midi, le soleil avait écarté les nuages pour réchauffer la ville avec ses rayons. Le temps d'abord maussade - peinture monochrome figée dans le temps - avait reculé pour faire place à une toile colorée dont le soleil constituait la pierre angulaire, le centre où tous les éléments de la création s'harmonisaient. Le temps était devenu clément et, bientôt, la nuit tomberait tel un rideau clôturant l'apothéose de la journée.

Aimant souper tôt, l'inspecteur Vincent Auger terminait son assiette de saucisses germaniques et de frites au restaurant Chez Better sur la rue Notre-Dame Est lorsque son téléavertisseur retentit. Il fronça les sourcils en reconnaissant le numéro personnel du directeur des services d'enquêtes criminelles de la Sûreté du Québec, Émery Rivet. Vincent regretta d'avoir fermé son cellulaire pour manger en paix. Il lui téléphona aussitôt. Leur conversation dura moins de deux minutes. Ensuite, Vincent paya son repas et quitta le restaurant. Il regagna sa voiture et partit en trombe. Chacun des mots prononcés par Émery se répercutait dans sa tête, évoquant l'urgence. La voix flegmatique d'Émery, habituellement ferme et imperturbable, avait été cette fois ébranlée par un écho de peur. C'était un sentiment que Vincent n'aurait jamais cru déceler un jour chez son supérieur. Il tremblait en tentant d'imaginer ce qui pouvait le perturber autant. Vincent fonça pour rejoindre le Quartier général et services centraux de la Sûreté du Québec au 1701, rue Parthenais.

Chapitre 2

Deux heures plus tôt.

L'orage venait tout juste de cesser. Des nuages pommelés se profilaient dans le ciel, effleurant la cime des plus hauts immeubles de Montréal.

Sur la Rive-Sud, dans la ville de Saint-Bruno-de-Montarville, Alexandre et Maryse Verne habitaient une petite maison de style colonial. Ils en avaient fait l'acquisition l'été dernier à un prix abordable alors que le marché immobilier connaissait une hausse de prix vertigineuse. Quelques rénovations mineures s'imposaient, mais, dans l'ensemble, la maison était en bonne condition.

Dans la chambre des maîtres, près de son lit à l'épaisse couverture matelassée, Maryse se brossait les cheveux devant le miroir de sa coiffeuse. Elle prit ensuite une boucle dans un écrin aux fioritures ocre pour ramener sa longue chevelure en chignon. Elle s'observa dans le miroir, scrutant attentivement son image. Avec douceur et finesse, la main du temps avait subtilement changé son apparence, creusant de fines rides autour de ses yeux et aux commissures de ses lèvres. Lorsque son visage restait neutre, sa peau demeurait détendue et sans plis. Toutefois, à la moindre articulation, les rides se creusaient légèrement, donnant de la profondeur à son expression. Curieusement, le sourire était ce qui lui donnait le plus de rides. Dommage que quelque chose d'aussi beau soit ponctué par les signes les plus cruels du vieillissement. Mais peut-être que la sagesse résidait justement dans le fait de ne pas se convaincre que ces signes devaient être cachés et, aussi profondes que fussent les rides, elles demeuraient secondaires par rapport au rayonnement d'un sourire.

Maryse se leva. Elle sortit de la chambre et alla à la cuisine pour préparer des sandwichs.

Aujourd'hui, Alexandre s'était mis en tête de faire du rangement au grenier et il s'y affairait depuis plus d'une heure. Maryse comme Alexandre étaient incapables de se départir d'objets inutiles pour des raisons sentimentales. La plupart de leurs vieilleries avaient survécu à leurs trois déménagements, mais cette fois Alexandre était résolu à jeter plus de la moitié des affaires qui accaparaient le grenier. Alors qu'il choisissait méticuleusement quoi écarter, Maryse tranchait des tomates dans la cuisine.

Ce fut à ce moment qu'on sonna à la porte. Alexandre se trouvait plus près pour répondre, mais, redoutant qu'il n'ait pas entendu avec le tapage qu'il provoquait en déplaçant des meubles, Maryse posa le couteau et s'essuya les mains avec une serviette pour aller répondre. Elle entendit les pas feutrés de son mari qui descendait l'escalier du grenier.

— J'y vais, fit-il depuis le couloir en se dirigeant vers l'entrée.

Maryse reprit le couteau et continua à trancher les tomates. Elle entendit plus loin le bruit de la porte d'entrée qu'on ouvrait. Puis, une voix aux accents gutturaux, froids comme le métal, se fit entendre. « Vous êtes bien Alexandre Verne? » Maryse fut traversée d'un frisson et un sinistre pressentiment, comme un présage lugubre, l'assaillit. Elle secoua la tête et chassa cette troublante impression. Elle n'avait aucune raison de s'inquiéter. Après tout, son mari était policier. Que pouvait-il lui arriver?

La voix d'Alexandre suivit: « C'est bien moi. Que puis-je pour vous? »

Dans le vestibule, Alexandre détailla la silhouette qui se dressait devant lui.

C'était un jeune homme. Il portait un pantalon en flanelle beige et un t-shirt noir aux manches effilochées. Il avait une chevelure noire ébouriffée, un nez aquilin et des yeux bruns. Alexandre fut frappé par la froideur de son regard.

— Nous nous connaissons? demanda-t-il d'un air dubitatif.

D'emblée, cet homme ne lui inspirait aucune confiance. Il gardait les mains jointes derrière le dos comme s'il dissimulait quelque chose. Alexandre entendit Maryse qui lui demandait depuis la cuisine avec qui il discutait. Alors qu'il allait lui répondre, le jeune homme posa à ses côtés l'objet qu'il tenait derrière son dos. Alexandre écarquilla les yeux en découvrant un bidon d'essence.

Aussitôt, prenant Alexandre par surprise, le jeune homme lui assena un violent coup à la tête. L'impact le déstabilisa et son agresseur se rua sur lui avant qu'il puisse se défendre. Le jeune homme continua de le frapper sauvagement à la tête. Il le poussa à l'intérieur, récupéra le bidon et referma la porte dans un claquement sec.

L'entrée donnait sur un large salon. Alexandre y fut entraîné par son agresseur qui le jeta violemment au sol.

– Mais qu'est-ce que...

Sa voix à peine audible se brisa alors que l'homme le chargeait. Il essaya de se protéger en levant les bras, mais sa tentative fut vaine : l'autre enchaîna les coups avec une violence inouïe. Son visage se changea en masque ensanglanté.

Ce fut à ce moment que Maryse fit irruption dans le salon. Elle fut paralysée d'effroi en voyant un homme frapper la tête de son mari contre le sol. L'homme s'exécutait avec véhémence et sa cadence ne cessait d'augmenter en violence. Les jambes d'Alexandre étaient parcourues de spasmes musculaires et une mare de sang s'élargissait sous sa tête. Des bruits de raclements de gorge et de craquements osseux se mêlaient dans une cacophonie d'horreur.

Maryse voulut hurler, mais son cri se bloqua dans sa gorge. Poussée par un sentiment de désespoir et de rage, elle fonça sur le jeune homme. Ses bras décrivirent de grands moulinets et, dans un chaos de mouvements, elle atteignit l'homme à la nuque et derrière la tête. Insensible aux coups, l'agresseur ne lui accorda aucune attention. Il poursuivait son châtiment comme si elle n'existait pas. Maryse redoubla d'efforts, mais sa jointure gauche craqua en percutant l'épaule du jeune homme, et la douleur aiguë qui explosa dans sa main brisa momentanément son élan de furie. Elle recula et manqua de perdre l'équilibre. Des larmes affluèrent, brouillant sa vision. Pourtant, elle refusa d'abandonner. Elle se rapprocha pour tenter un second assaut lorsque le jeune homme se redressa pour la frapper brutalement d'un revers de main.

Elle valsa et tomba, puis sa tête donna violemment sur le sol. Elle vit des étoiles danser alors qu'elle parvenait à s'asseoir et à appuyer son dos contre le mur. Dans un ultime effort, elle essaya de se relever, mais ses membres refusèrent de lui obéir. Impuissante, elle vit avec horreur le jeune homme traîner son mari au centre du salon. Il empoigna la tête meurtrie d'Alexandre pour la percuter à nouveau sur le sol. Il tordait le cou de sa victime pour rabattre son crâne sur différents angles. Il s'acharna jusqu'à ce que son visage devienne méconnaissable; les traits distendus prenaient l'aspect d'un masque vermillon. Le linoléum était devenu une toile sordide sur laquelle l'artiste utilisait la tête comme un pinceau et le sang comme de la couleur.

Maryse n'arrivait toujours pas à bouger. Elle n'avait pas conscience de balbutier et d'implorer le jeune homme d'arrêter. Mais il était trop tard et elle savait que son mari était mort. Ensuite, son tour allait suivre. Qui sait, son sort serait peut-être encore plus effroyable que ce qui avait été infligé à Alexandre. Elle n'arrivait pas à croire ce qui se passait. Pourquoi un tel cauchemar s'était-il abattu sur eux?

Le jeune homme changea de position, permettant à Maryse de distinguer parfaitement ses traits hargneux. Il avait le regard tourmenté et ses yeux lançaient des éclairs. Lorsqu'il se leva et se dirigea vers la porte d'entrée, Maryse se permit de croire qu'il allait quitter sa demeure en l'épargnant. C'était une pensée égoïste compte tenu de ce qu'Alexandre venait de subir, mais, dans l'état de terreur extrême où elle se trouvait, son instinct de survie prenait le pas sur l'empathie.

L'homme n'avait pas l'intention de partir. Il récupéra son bidon d'essence abandonné près de la porte d'entrée et revint au salon. Maryse secoua la tête.

– Partez, balbutia-t-elle. Je vous en supplie.

Le jeune homme continua de l'ignorer. Il ouvrit le contenant. Les effluves envahirent l'espace du salon, libérant une menace de fatalité.

Le cauchemar ne faisait qu'empirer.

L'individu souleva le bidon pour asperger le corps d'Alexandre. Il arrosa aussi le mobilier et les rideaux à proximité. Puis, il tomba à genoux, leva la tête et ouvrit grand les yeux.

« J'ai vu le diable! » hurla-t-il en versant le reste de l'essence sur son visage.

Le liquide aurait dû lui brûler les yeux, mais le jeune homme n'en fut pas incommodé. Au contraire, c'était comme si l'essence le purifiait. Le regard tourné vers le plafond, il se lança dans une litanie de paroles incohérentes. Il paraissait à la fois torturé et exalté, alternant entre la jubilation et la résignation. Il se débarrassa du bidon vide en le lançant et répéta :

« J'ai vu le diable. »

Sa voix était stridente. Il approcha un objet de son visage, et Maryse reconnut la paire de ciseaux qu'elle avait laissé traîner sur la table du salon. Elle s'en était servie pour envelopper les cadeaux destinés à sa mère qui fêterait son soixantième anniversaire la semaine prochaine. Devant l'invraisemblance de la situation, elle se demanda pourquoi cet objet se retrouvait entre les mains du jeune homme qui les ouvrit et les dressa au-dessus de sa tête. Bien que l'inconnu parût toujours insensible à la douleur, il avait maintenant les yeux rougis par la brûlure de l'essence. Il ressemblait à un fanatique religieux qui n'avait plus aucune volonté et qui obéissait à un commandement divin exigeant un ultime sacrifice pour prouver sa dévotion. Juste avant que le coup fatal ne soit donné, Maryse crut discerner une étincelle de lucidité dans son regard; un fragment de sa véritable personnalité dissoute dans la tempête de sa folie.

Puis, l'horreur atteignit son paroxysme. Le jeune homme remua les lèvres, articula une litanie muette juste avant de diriger les deux pointes de métal dans ses yeux. Les ciseaux libérèrent un flot de larmes rouges qui lui macula le visage.

Les sanglots de Maryse redoublèrent. Elle n'éprouvait aucune satisfaction à voir l'assassin de son mari se mutiler froidement.

Le jeune homme continuait à enfoncer les ciseaux dans sa chair comme s'il cherchait à atteindre et à perforer le germe de la folie dans sa tête.

« Le diable m'appelle. »

Il retira les ciseaux ensanglantés dans un horrible bruit spongieux, libérant une coulée de sang plus abondante encore. Il les lâcha et amena ses mains à son visage sans toutefois se couvrir les yeux ou plutôt l'endroit où ses yeux s'étaient trouvés.

« Il m'appelle! » hurla-t-il.

Le jeune homme secoua la tête, projetant des gouttes de sang autour de lui. Puis, il fouilla la poche droite de son pantalon et y trouva une boîte d'allumettes. Malgré les mutilations à son visage, il en craqua une sans difficulté. Il l'approcha de son corps trempé d'essence et le brasier s'éveilla.

Au moment où le feu se déclenchait, Maryse retrouva toute sa lucidité; les chaînes de sa stupeur furent brisées.

Les flammes se répandirent rapidement dans le salon et enveloppèrent les deux hommes, dévorant leur chair. Transformé en torche humaine, le jeune homme se leva. Il resta sur place et Maryse comprit que son but était de se laisser consumer par le feu et non de le combattre.

Pressée par le danger, elle se releva. Son instinct de survie prit le relais, occultant sa logique qui s'efforçait encore de trouver une explication à toute cette invraisemblance. Elle se dirigea vers l'entrée en vacillant. Les volutes de fumée lui piquaient les yeux et elle commença à suffoquer. La porte n'était qu'à six ou sept mètres, mais cette distance lui paraissait décuplée. Elle crut que le couloir s'étirait, conspirant pour lui interdire de s'échapper. Prise de vertiges, elle avança en vacillant. L'air se raréfiait et la chaleur augmentait. Le feu se répandait rapidement, talonnant Maryse. Elle s'appuya sur le mur à sa droite pour garder l'équilibre, s'accroupit pour mieux respirer et, péniblement, elle gagna la porte d'entrée en toussant.

Une fois dehors, elle s'éloigna de la maison en titubant avant de tomber à genoux. Elle toussa plus violemment et cracha des graillons visqueux. À bout de forces, elle éclata en sanglots. Elle crut qu'elle allait perdre connaissance, mais ce privilège ne lui fut pas accordé. Elle avait regagné la bordure de la rue et échappé à l'incendie.

Alerté par la fumée, un voisin avait contacté les services d'urgence, après quoi il était sorti prestement pour rejoindre Maryse. Paniqué, il se pencha vers elle au moment où la vitre du salon explosait. Les flammes apparurent et léchèrent le cadre de la fenêtre avec frénésie. Elles ne tardèrent pas à gagner le toit et les bardeaux se racornirent sous l'intense chaleur. Le brasier libérait d'épaisses volutes de fumée qui formaient de longs rubans sur la toile du ciel.

Le voisin essaya de réconforter Maryse. Il lui assura que les secours étaient en route et qu'ils n'allaient pas tarder. Elle releva la tête et fixa les lèvres de l'homme. Elle les vit remuer sans comprendre ce qu'il cherchait à lui dire. Son esprit déformait le langage et c'était comme si son voisin s'exprimait dans un dialecte inconnu. Maryse comprenait néanmoins ses intentions. Elle apprécia sa sollicitude, mais elle n'avait pas la force de le remercier. Trois mots revenaient sans cesse dans son esprit.

« Il m'appelle. »

Maryse hurla, et son cri couvrit le crépitement du brasier qui emportait sa maison, son mari et le fou qui lui avait tout pris.

Chapitre 3

Mercredi, 17h21

Émery se tenait devant la fenêtre qui donnait sur la rue Parthenais. En contrebas, la circulation était dense, et les piétons qui se massaient sur les trottoirs fourmillaient comme des insectes dans le monstre gris de la ville.

On frappa à la porte.

– Entrez, dit-il.

Vincent entra et referma la porte derrière lui. Quatre murs blancs et un mobilier austère; le bureau d'Émery n'avait presque pas changé depuis qu'il était directeur des Services d'enquêtes criminelles de la SQ.

Vincent l'observa. Il demeurait immobile devant la fenêtre, perdu dans la contemplation du soleil qui déclinait. La boule ardente évoquait le naufrage d'un vaisseau marin qui déversait une nappe d'un jaune écarlate sur la ligne de l'horizon.

– Le désespoir est une chose terrible et trop d'hommes sont incapables de le supporter.

Le ton d'Émery était différent de ses inflexions, habituellement péremptoires. Ne sachant trop comment faire écho à cet élan de philosophie, Vincent préféra revenir sur les raisons de sa convocation.

– Vous avez demandé à me voir, monsieur?

Vincent s'exprimait sans rudesse pour ne pas presser son supérieur ou imposer un changement de conversation. Émery se tourna.

C'était un homme grand coiffé de cheveux courts frisottés. Il avait de longs sourcils hirsutes et des petites lunettes à monture d'écaille juchées sur un nez busqué. Ses yeux étaient d'un bleu limpide comme deux larmes provenant du plus pur des océans. Il avait les mains calleuses et des traits sévères qui témoignaient d'une longue et dure expérience de la vie. Émery était un homme discipliné et exigeant qui ne supportait pas l'incompétence.

Il se cala dans son siège en cuir. D'un geste de la main, il invita Vincent à s'asseoir en face de lui. L'inspecteur obtempéra en prenant place sur une chaise noire capitonnée.

– Comme tu souhaites retourner au Service des enquêtes sur les crimes contre la personne, j'ai une affaire à te confier qui relève justement de cette section. Toutefois, j'aimerais que tu t'en occupes à titre d'enquêteur et que tu te rendes toi-même sur le terrain. Tu peux te faire aider par qui tu veux. Ma proposition a trouvé un écho favorable dans les hautes sphères. Après cette enquête, tu seras affecté à un poste permanent plus conforme à ton grade.

Émery dévisageait intensément son interlocuteur, épiant le moindre signe d'hésitation.

– Je vous écoute.

Émery prit un dossier qu'il tendit à Vincent.

— Aujourd'hui, à quinze heures dix, un incendie a été signalé à Longueuil. L'appel a été enregistré au poste de Saint-Bruno-de-Montarville. C'est un voisin qui a appelé. La maison qui a brûlé appartient à Alexandre Verne, un policier qui travaille pour le SPVM*, et à Maryse, son épouse.

Vincent fronça les sourcils. Émery poursuivit :

— Lorsque les services d'urgence sont arrivés, la maison était déjà la proie des flammes. L'épouse d'Alexandre avait réussi à sortir à temps. Elle a été conduite à l'hôpital Charles-Lemoyne. Elle a inhalé beaucoup de fumée, mais elle s'en est sortie sans brûlure. Peu après son admission, elle a évoqué certains faits troublants. Apparemment, un individu a frappé à leur porte. Lorsque Alexandre lui a ouvert, l'homme l'a attaqué et l'a battu à mort. Ensuite, il s'est aspergé le corps d'essence pour s'immoler.

Vincent prit le dossier, mais Émery poursuivit avant qu'il ne l'ouvre.

— Le Bureau du coroner a été avisé. Tout ceci est très récent. Je ne sais rien d'autre pour l'instant. Les médecins n'ont pas voulu que les enquêteurs parlent davantage à Maryse qui, naturellement, était encore sous le choc.

Vincent ouvrit le dossier et survola rapidement les informations consignées.

— Vous voulez que j'assiste la police de Longueuil? Ce genre de coopération ne donne pas toujours de bons résultats.

---

* SPVM : Service de police de la Ville de Montréal.

— Nous ne sommes pas là pour faire plaisir à qui que ce soit et il relève de la SQ de couvrir les enquêtes criminelles particulières sur l'ensemble du territoire québécois. Je connais bien le chef de la police de Saint-Bruno-de-Montarville. Je lui ai déjà parlé et il ne voit aucune objection à ce que j'envoie quelqu'un. Les corps seront amenés à notre morgue. Tu as l'appui d'en haut : n'hésite pas à le rappeler à tout enquêteur ou policier qui voudrait te faire croire le contraire. De toute façon, cette affaire a coûté la vie à un collègue; je crois qu'il y aura plus de solidarité que de rivalité.

Vincent regarda sa montre. Il était surpris par la vitesse avec laquelle Émery avait été mis au courant de cette affaire et par les dispositions qu'il avait déjà prises.

Émery joua des épaules comme s'il réprimait un frisson. Il poursuivit :

— Je veux des résultats. Utilise toutes les ressources nécessaires.

Il étudia Vincent pendant quelques secondes avant de baisser la tête sur ses papiers. Sachant qu'Émery n'était pas du genre à s'éterniser, Vincent crut qu'il avait terminé. Il allait se lever lorsque son supérieur enchaîna :

— Maryse a été témoin de l'agression. Je veux que tu l'interroges dès qu'elle se portera mieux. Je veux savoir ce qui s'est passé et pourquoi ça s'est passé. Je veux savoir pourquoi Alexandre Verne a été tué.

Émery parlait avec véhémence. Vincent fut surpris de le voir manifester sa consternation aussi ouvertement.

– Puis-je vous poser une question? demanda-t-il.

Émery l'invita à poursuivre.

– Pourquoi m'envoyer, moi? Si vous dites que cette affaire sera complexe, j'imagine qu'elle sera aussi très médiatisée. Pourquoi ne pas envoyer quelqu'un dont les états de service ne sont pas... entachés?

– Ne t'en fais pas pour les médias. Tu n'es pas porte-parole de la police et je ne te demande pas de l'être. Je choisis mes effectifs en fonction de leurs compétences et je ne les condamne pas pour les erreurs qu'ils ont pu faire dans le passé. Tu as payé pour cette histoire et je ne vais pas me priver d'un bon élément.

Vincent apprécia ce témoignage de confiance. Il sourit, mais, avant d'avoir pu remercier Émery, il le vit lever la main.

– Ne te méprends pas sur mes intentions. Je pèse chacun de mes mots, mais je ne te fais pas une faveur en te confiant cette affaire. Comme je te l'ai dit, je t'ai choisi parce que je pense que tu constitues mon meilleur élément. Cette affaire a quelque chose de sinistre et je crois que toi seul sauras y faire face.

Vincent observa intensément Émery. Son visage restait de marbre. Toutefois, il dénota le même ton effrayé dans la voix de son supérieur que lorsqu'il lui avait parlé au téléphone un peu plus tôt. Un changement infime s'était opéré dans son regard: le bleu profond de ses yeux trahissait une incertitude, un tison lavande distillant la peur.

– Je ferai ce qu'il faut pour résoudre cette affaire. Merci.

Les épais sourcils broussailleux d'Émery se plissèrent. Il paraissait sur le point de grommeler, comme si Vincent l'avait insulté, mais un sourire vint briser cet air courroucé. La peur dans ses yeux avait disparu.

– Je ne t'envoie pas en vacances. Tu risques de me maudire bien avant d'avoir vu la fin de cette enquête.

Chapitre 4

Vincent n'était pas effrayé par le défi qui l'attendait. D'une certaine façon, considérant tout ce qu'il avait traversé, il avait besoin d'une affaire de cette envergure pour rebâtir sa confiance. Il réalisait que son amertume des derniers temps avait terni son existence. Mais aujourd'hui, avec cette enquête à résoudre, il allait retrouver l'environnement qui le caractérisait le plus. Le monde allait reprendre ses nuances et ses reliefs et, quelque part dans ce portrait, Vincent serait l'élément le plus éclatant.

En quittant le bureau d'Émery, il se rendit directement sur la scène du crime. Il traversa le pont Jacques-Cartier et emprunta la route 116 qui coupe Longueuil d'ouest en est. Une fois dans l'agglomération de Saint-Bruno-de-Montarville, il se dirigea sans tarder vers la résidence des Verne qu'il atteignit en quelques minutes.

Le nombre de badauds avait considérablement diminué après que les pompiers eussent maîtrisé l'incendie. Il eût été plus approprié de dire que le feu s'était laissé vaincre une fois la maison détruite, les flammes se lassant de lécher les derniers vestiges de la demeure carbonisée.

Vincent passa sous les scellés qui délimitaient la scène du crime. Il aimait cette frénésie et ce silence oppressant comme s'il traversait un champ de bataille après la guerre. L'air était chargé d'électricité; on eût dit que la mémoire du crime hantait les lieux. Ironiquement, c'était dans le sillon de la mort qu'il se sentait plus vivant que jamais.

La demeure des Verne avait été une petite maison aux murs d'aggloméré. À mi-chemin dans l'allée qui menait à l'entrée, deux bouleaux montaient la garde. Miraculeusement, les deux arbres avaient été épargnés par l'incendie tandis que de grands arcs de gazon calciné se dessinaient autour de la demeure en ruine. Vincent fit le tour de la maison qui comportait un atrium complètement ravagé et une terrasse à l'arrière aux dalles fissurées par la chaleur. Il retourna à l'entrée et pénétra dans la demeure.

Dans le salon, le toit cathédrale au-dessus du foyer s'était effondré. Des cendres se mêlaient aux accumulations d'eau, formant une épaisse bouillie noirâtre. Le sous-sol non aménagé était complètement inondé.

Les employés de la morgue venaient de charger les corps. La résidence détruite grouillait d'enquêteurs et de techniciens en scènes de crime. Plusieurs s'activaient dans le salon où les corps avaient été retrouvés. C'était aussi l'endroit où le feu avait été déclenché.

En s'approchant du salon, Vincent nota différentes expressions sur les visages des enquêteurs. Certains demeuraient impassibles tandis que d'autres affichaient un air décontracté pour lutter contre l'aspect sordide du crime. Il aperçut le médecin légiste, Thomas Laurien. Vincent le connaissait très bien.

Thomas venait de fêter ses cinquante-huit ans. C'était un homme trapu, aux cheveux crépus. Il portait des lunettes à montures épaisses. Thomas était un brillant expert en médecine légale. Lors de colloques aux États-Unis, il avait sympathisé avec de nombreux spécialistes chevronnés. Il gardait le contact avec eux et sollicitait leur expertise à l'occasion. Parmi eux, figuraient des virtuoses de la microscopie médicolégale qui travaillaient pour l'entreprise Microtrace, située à Elgin dans l'Illinois. Leurs laboratoires étaient très renommés et leurs experts étaient intervenus dans le passé dans des affaires aussi importantes que l'attentat d'Oklahoma City en 1995.

Thomas affichait un air grave lorsque Vincent le rejoignit. Sur une scène de crime, le médecin légiste restait concentré sur son travail et se montrait irrité à la moindre distraction. Curieusement, c'était à la morgue qu'il retrouvait le sourire, préférant la quiétude de ce lieu (malgré son atmosphère lugubre) au va-et-vient constant des techniciens à la recherche d'indices.

— Salut, Thomas! lança Vincent. Le Bureau du coroner n'a pas perdu son temps, à ce que je vois.

Thomas lui adressa un sourire.

— Je suis venu avec un coroner investigateur. Il m'a demandé de l'accompagner avant de pratiquer l'autopsie. Et toi? Qu'est-ce que tu fais ici?

— Je joue les enquêteurs, dans cette affaire.

Pour répondre au visage interrogateur de Thomas, Vincent s'empressa d'ajouter :

— Ce n'est pas une punition. J'adore le terrain.

— Tu sais ce qui s'est passé? demanda le médecin légiste.

Vincent se rapprocha. Thomas avait la manie de parler à voix basse comme s'il susurrait continuellement des confidences. Les gens avaient l'habitude de le faire répéter, mais, plutôt que d'élever la voix, il conservait le même ton pour forcer ses interlocuteurs à lui prêter une oreille plus attentive. Il voyait dans cette pratique un moyen légitime d'amener les cadets à considérer davantage leurs aînés.

— Je dispose de quelques informations, dit Vincent. La victime s'appelle Alexandre Verne. C'était un policier du SPVM. Un homme a frappé à sa porte en milieu d'après-midi. Dès qu'Alexandre a ouvert, l'inconnu s'est rué sur lui pour le battre à mort. Ensuite, il a versé un bidon d'essence dans le salon. Les deux hommes ont brûlé vifs sous les yeux de l'épouse d'Alexandre qui est parvenue à sortir avant d'être prisonnière des flammes.

Thomas hocha gravement la tête.

— Et toi? s'enquit l'inspecteur. Qu'as-tu découvert?

Le médecin légiste haussa les épaules.

— Tu me connais, je ne me prononce jamais avant l'autopsie. Je te le ferai savoir dès qu'elle sera terminée.

— Quand?

— Bientôt. Ce crime vient juste de se produire et l'information se répand déjà comme une onde de choc. La pression va venir de partout et personne n'a intérêt à traîner dans cette histoire.

— Envoie-moi un message par téléavertisseur lorsque tu auras terminé l'autopsie.

Vincent lui tendit sa carte.

— D'accord, dit Thomas.

Un jeune policier vint à leur rencontre.

— Excusez-moi, vous êtes l'inspecteur Auger? fit-il sur un ton enjoué.

Il avait les cheveux blonds coupés en brosse. Les traits de son visage étaient délicats, presque efféminés. Il avait du mal à dissimuler son excitation derrière une contenance professionnelle. Lorsque Vincent acquiesça, le visage du jeune homme s'illumina comme s'il venait de retrouver un vieil ami. Il poursuivit, d'une voix flûtée :

— Mon supérieur m'a prévenu de votre arrivée. Il tenait à s'assurer que vous ne soyez pas négligé.

L'inspecteur fut amusé en imaginant Émery en train d'appeler le chef de police de Saint-Bruno-de-Montarville pour s'assurer qu'il n'ait pas à se buter aux policiers ni aux enquêteurs déjà affectés à l'affaire. Par contre, il était fort probable que le personnel se soit montré moins enthousiaste en apprenant l'affectation de Vincent. C'était pour cette raison qu'il se retrouvait en compagnie d'une jeune recrue.

— Je voudrais vous montrer quelque chose. Nous détenons peut-être un indice précieux dans cette enquête, et mon supérieur tient à ce que vous soyez au courant des développements. Venez, je vais vous montrer.

Vincent salua Thomas et se laissa entraîner à l'extérieur par le jeune policier. Les deux hommes marchèrent jusqu'à une Saab 9000 couleur havane, stationnée de l'autre côté de la rue en face de la résidence brûlée.

– En vérifiant la plaque minéralogique, nous avons appris que cette voiture appartient à un certain Pierre Denis. Il s'agit peut-être de l'assassin. Mais ce n'est pas ce qu'il y a de plus intéressant. En procédant au relevé d'empreintes, les techniciens en scènes de crime ont trouvé des petites sphères métalliques de la taille de billes dans la voiture.

– Des petites sphères? Qu'est-ce que c'est?

Le policier haussa les épaules.

– Personne ne sait. Un technicien a essayé d'en prendre une, mais elle s'est désagrégée et est devenue liquide dans sa main.

Constatant que la voiture était abandonnée, Vincent demanda :

– Et où est-il, en ce moment?

– Lui et son collègue sont retournés à leur camionnette. Ils disaient ne pas avoir de fioles dans leur valise.

La portière côté conducteur était ouverte. Vincent se pencha pour regarder à l'intérieur du véhicule. Sur le siège arrière trônaient une boîte de papiers-mouchoirs et des cahiers publicitaires chiffonnés. À l'avant, les sièges en cuir étaient impeccables. Ils paraissaient laqués, décochant des reflets miroitants. Il vit aussi de la poudre à empreintes disposée sur le volant. En poursuivant son examen, Vincent discerna les petites billes argentées.

— Ce n'est pas dangereux? fit-il en les pointant.

— Je ne sais pas! Je crois que les techniciens ne sont pas rassurés. Je ne serais pas surpris de les voir rappliquer avec des masques.

Le policier eut un haussement d'épaules désinvolte.

— Vous parliez à un médecin légiste avant que j'arrive? Je connais un gars qui travaille pour le Groupe d'intervention de la SQ qui m'a dit...

— Est-ce que les voisins ont été interrogés? coupa Vincent pour s'assurer que la conversation ne soit pas détournée de l'enquête.

— On a parlé au voisin qui a appelé les services d'urgence. Nous n'avons rien appris de plus que ce qu'il a raconté au téléphone. Vous voulez aussi l'interroger?

— Ce ne sera pas nécessaire.

Vincent s'attarda sur les billes en métal. Quelles que soient les composantes de ces sphères, elles avaient été déposées délibérément devant les grilles du système de ventilation. Ce détail intriguait Vincent. Il y voyait une attention particulière qui ne correspondait pas à l'œuvre d'un détraqué suicidaire. C'était étrange. Il se gratta le menton, songeur.

— Vous savez, ces sphères sont peut-être totalement inoffensives, hasarda le policier.

— Peut-être, répondit l'inspecteur sans paraître convaincu.

Soudain, le jeune homme fut appelé par un collègue. Il s'excusa auprès de Vincent et s'éclipsa. L'inspecteur reporta son attention sur les sphères métalliques. Elles ressemblaient à de petites planètes tirées d'un jeu d'enfant. Mais elles étaient plus complexes et se dissolvaient au toucher, comme pour échapper à la manipulation et ainsi garder leur secret.

Vincent constata du coin de l'œil que les deux techniciens en scènes de crime revenaient avec leur valise. Il s'éloigna. Après réflexion, il opta pour ne pas retourner dans la demeure incendiée. Il pourrait discuter avec Thomas plus tard des résultats des autopsies et vérifier avec le Laboratoire de médecine légale et de sciences judiciaires le relevé d'empreintes et l'analyse des petites sphères. Il pourrait aussi étudier les photos de la scène du crime et consulter le rapport des policiers de Saint-Bruno-de-Montarville. Il préférait aussi ne pas s'attarder pour ne pas croiser à nouveau le jeune policier.

Il se dirigea vers sa voiture. Avec ce qu'il avait vu, Vincent partageait l'opinion d'Émery : le crime n'était que la surface de l'horreur. Il avait le sentiment aussi que les petites sphères avaient été posées délibérément soit par le meurtrier, soit par une autre personne. Ce n'était qu'une intuition et, à ce stade de l'enquête, toutes les conjectures étaient bonnes à évaluer.

Une fois derrière le volant, il démarra et s'éloigna de la demeure incendiée sans jeter un regard dans son rétroviseur.

Chapitre 5

Mercredi, 23 h 42

La lune jetait une lumière blafarde. À travers les nuages qui dérivaient, les étoiles brillaient comme des balises flottant à la surface d'un océan noir.

Dans un entrepôt miteux situé à l'extérieur du périmètre et des terminaux surveillés du port de Montréal, quatre hommes patientaient.

Trois d'entre eux étaient nerveux; le quatrième était en colère. Il s'était calmé depuis son arrivée dans le seul but de garder sa rage pour la personne qu'ils attendaient tous.

Dehors, Raphaël tenait le capuchon de son parka relevé pour s'abriter de la pluie battante alors qu'il s'approchait de la porte métallique de l'entrepôt. Le bâtiment fait de panneaux ondulés en métal vibrait sous les assauts du vent. La porte grinça sur ses gonds lorsqu'il l'ouvrit.

– Fait chier cette température, maugréa-t-il en s'engouffrant à l'intérieur.

La porte se referma derrière lui, étouffant le vent qui chahutait. Marty, August et Antoine se tenaient en demi-cercle près de la porte. Les trois hommes dévisagèrent Raphaël avec appréhension. Perplexe, il les examina aussi tour à tour en abaissant tranquillement son capuchon. L'éclairage tamisé rendait l'expression de ses partenaires encore plus sinistre.

Les rares ampoules au plafond jetaient une lumière morne dans l'entrepôt, découpant et étirant les ombres qui se dressaient sur les murs comme des sentinelles ténébreuses. Dans le silence qui suivit, l'écho produit par le tambourinement de la pluie s'imposa.

– Qu'est-ce que vous avez à me regarder comme ça? s'enquit Raphaël.

Les trois hommes gardèrent le silence. Ce fut plutôt une voix venue de sa droite qui lui répondit.

– Qu'est-ce qui se passe? Tu n'aimes pas notre accueil?

Le ton était railleur. Se tenant dans un coin sombre et reculé de l'entrepôt, le policier Kerri Aubrey bondit sur ses jambes pour quitter le fauteuil usé où il attendait. Il s'approcha à grands pas de Raphaël sans le quitter du regard.

Yeux et cheveux d'ébène, traits rudes, Kerri incarnait l'image même de l'intimidation. Il avait trente-six ans et mesurait un mètre quatre-vingt-deux. Il passait beaucoup de temps chaque semaine dans un centre de conditionnement physique à sculpter son corps athlétique. Expert en boxe et excellent tireur, Kerri était respecté et craint. Vêtu d'un manteau en suède noir et d'un pantalon bleu royal, il ne portait pas son uniforme ce soir. Il s'immobilisa à deux mètres de Raphaël.

– Aurais-tu quelque chose à me dire? éructa-t-il.

Surpris par cette confrontation, Raphaël tarda à formuler une réponse.

— Qu'est-ce que je pourrais avoir de particulier à te dire? bégaya-t-il.

Regard fuyant et traits crispés, Raphaël manifestait des signes de nervosité. Il essaya toutefois de se fabriquer une expression sévère. Les gouttes de pluie ruisselaient sur son parka.

— Tu pourrais commencer par me répéter la rumeur que tu as fait circuler à mon sujet.

— Quelle rumeur?

— Les rumeurs voulant que je ne sois plus un partenaire de confiance, rétorqua Kerri. Je sais que tu racontes à qui veut bien l'entendre que j'ai les affaires internes sur le dos, ce qui risque de mettre au jour notre petite opération clandestine.

Kerri dévisagea intensément Raphaël. Une lueur de défi brillait dans ses yeux.

— Corrige-moi si je me trompe, ajouta-t-il.

Maintenant qu'il comprenait les raisons de l'affrontement, Raphaël parut retrouver une partie de son assurance. Il adressa un large sourire narquois à Kerri.

— Corrige-moi si je me trompe, mais, pour ce qui est des affaires internes, ce n'est pas une rumeur.

Sur ce point, Kerri ne pouvait pas nier puisque des enquêteurs s'intéressaient à ses activités. Mais l'affaire était encore au stade des conjectures. Pour l'instant, aucune menace ne pesait sur personne. Kerri ne comprenait même pas comment cette rumeur avait pu s'ébruiter jusqu'à parvenir à ses complices, bien que Raphaël pût facilement en être responsable. Il avait tout à gagner d'un litige entre lui et le reste de la bande.

— Pas la peine de s'alarmer. C'était vrai lorsque je l'ai dit la première fois et ça l'est encore aujourd'hui.

Raphaël essaya de se fabriquer un masque d'arrogance, mais l'esquisse fut peu convaincante, le portrait n'étant pas l'égal de l'ambition de l'artiste.

— Le problème est que nous ne savons pas comment les choses évoluent. Tout ce qu'on sait, c'est ce que tu veux bien nous dire et nous faire croire.

— Et qu'est-ce que je pourrais avoir à cacher?

— Que les choses ne vont pas comme elles devraient et que les affaires internes vont bientôt découvrir notre petit trafic. Que tu as perdu le contrôle.

— Je ne dirais pas que j'ai perdu le contrôle, mais il est vrai que les choses vont plutôt mal puisque Alexandre est mort.

Si Raphaël jouait la comédie, il excellait dans son jeu, car il parut réellement surpris en apprenant la nouvelle.

Kerri participait à un réseau de distribution de méthamphétamines. Dans l'entrepôt isolé, sept membres s'occupaient du trafic: Édouard, Raphaël, Derek, Marty, August, Antoine, et finalement Tommy qui travaillait dans le port et qui détenait une carte d'identité et d'accès émise par le service de sécurité portuaire. C'était lui qui récupérait la marchandise pour la transférer ensuite dans le hangar situé à l'est des principales activités du port de Montréal. La cargaison arrivait tous les vendredis et elle était dissimulée dans de petits objets décoratifs comme des bibelots. Les membres assuraient la distribution en livrant la marchandise à leurs vendeurs respectifs dispersés à travers la ville. Kerri et Alexandre travaillaient au PDQ* qui couvrait le territoire où le hangar était situé. Lorsqu'ils patrouillaient, ils veillaient à éloigner la compétition en arrêtant les petits malfrats qui rôdaient dans les parages et ils s'assuraient qu'aucun collègue ne tombe par hasard sur leur lieu d'opération en procédant eux-mêmes à toutes les vérifications dans ce secteur. Du point de vue administratif, le hangar appartenait à Édouard qui n'avait aucun casier judiciaire.

La consommation de méthamphétamines connaissait une forte expansion dans la ville, et ce petit trafic leur assurait de bons bénéfices. D'autres réseaux criminels opéraient dans des branches similaires, mais Kerri avait veillé à ne pas empiéter sur le marché de plus importants concurrents. Il connaissait toutes les formes de criminalité à Montréal et savait où faire de l'argent sans s'attirer d'ennemis. Le secret était de ne pas voir trop grand.

Tout allait bien et tout aurait continué à bien aller n'eut été la nomination d'un nouveau commandant, du nom d'Alphonse Roberge, dans son PDQ. L'animosité entre celui-ci et Kerri avait été immédiate. Bien que le travail du policier n'ait

* PDQ: Poste de quartier

jamais déplu à son ancien commandant, Alphonse, lui, considérait ses rapports de patrouille sommaires et incomplets. Il trouvait aussi suspect que Kerri ait témoigné en faveur de deux criminels lors de leur procès deux ans plus tôt. Ainsi, il avait permis à Marty et à August d'éviter de faire de la prison pour une histoire de vol à main armée. Bientôt, Kerri s'était réveillé avec les affaires internes sur le dos. Les intuitions d'Alphonse étaient fondées, mais Kerri avait l'habitude de couvrir ses arrières et il était persuadé que son commandant serait incapable de remonter toute la filière. Il était confiant que la tension entre eux finirait par s'estomper, mais, en attendant, elle rendait plusieurs personnes nerveuses, dont Raphaël qui n'avait pas tardé à profiter du contexte. Il prétendait que leur partenariat était devenu trop risqué, allant jusqu'à proposer des solutions radicales pour s'assurer que la situation ne dégénère pas. Selon lui, éliminer Kerri et Alexandre était la seule façon de préserver leur commerce. Le petit réseau n'aurait ensuite qu'à soudoyer de nouveaux policiers pour se payer les mêmes services. C'était stupide : les affaires internes ne feraient qu'enquêter avec plus d'insistance s'ils étaient retrouvés morts, mais Raphaël s'obstinait à croire le contraire. Sa proposition d'éliminer les deux policiers avait été accueillie froidement par ses complices qui ne jugeaient pas nécessaire ni même urgent de commettre un geste aussi définitif. Kerri était un élément important dans leur petit commerce et il serait difficile à remplacer. Il était aussi dangereux, et personne ne voulait prendre le risque de l'éliminer à moins que ce ne soit absolument nécessaire. Au sein du groupe, Édouard était celui qui prenait les décisions et il s'était opposé à l'idée de Raphaël. D'ailleurs, ce dernier avait d'autres raisons de détester Kerri. Son jeune frère avait été arrêté par le policier quelques années plus tôt. Bien qu'il ait affirmé n'avoir aucune rancune lorsque le partenariat pour le trafic des méthamphétamines s'était organisé, Raphaël cherchait secrètement à se venger. Pour cette raison, il était difficile pour Édouard de croire que sa proposition ne fût pas d'ordre personnel.

Raphaël jeta un regard à ses acolytes, mais il sut à leur indifférence qu'il ne pouvait pas compter sur leur appui.

— Est-ce que tu as quelque chose à me dire? vociféra Kerri.

Raphaël s'humecta les lèvres.

— Qu'est-ce que tu veux que je te dise? fit-il, sur la défensive. Je ne savais même pas qu'il était mort.

Kerri le dévisagea avec hargne.

— Je n'ai rien à voir là-dedans, insista Raphaël. Si c'était nous qui avions fait le coup, nous vous aurions éliminés en même temps.

C'était un argument logique, mais, dans le contexte actuel, il ne fit qu'attiser la colère de Kerri.

— J'ai passé les dernières heures à l'extérieur de la ville. Il faut croire que tu m'as manqué. Mais puisque je suis là, pourquoi ne pas en finir?

Sur ce, Kerri sortit son pistolet Walther P99, rangé dans un étui sous sa veste.

Le visage de Raphaël devint exsangue.

— À quoi tu joues?

— Je ne fais que continuer ce que tu as commencé.

— Je te préviens! fit Raphaël sur un ton menaçant. J'ai aussi une arme sur moi.

— Alors tu devrais te dépêcher de la sortir.

Ne voulant pas d'un duel avec Kerri, Raphaël changea de tactique.

— Je te répète que ce n'était pas moi.

— C'est encore trop compliqué pour toi? Attends, je vais te faciliter la tâche.

Sur ce, Kerri se pencha pour déposer son arme sur le sol. Il se redressa et leva les bras, les mains à la hauteur des épaules. Il fit un signe de tête à l'intention de Raphaël pour le presser d'agir.

— Qu'est-ce que tu attends pour attraper ton arme? Essaie de me prendre de vitesse.

— Pourquoi tu fais ça? Qu'est-ce que tu cherches à prouver?

Cette fois, Kerri hurla.

— Qu'est-ce que tu attends? Que tu sois ou non responsable de la mort d'Alexandre, tu as toujours voulu me descendre. Voilà ta chance. Finissons-en une bonne fois pour toutes.

— Tu ne gagneras pas ici tout seul. D'ailleurs, qui nous dit que ce n'est pas toi qui as fait le coup pour mettre la main sur la part de profits d'Alexandre?

— Attention, Raphaël, prévint Kerri. Alexandre

était un ami et j'avais confiance en lui. Mais il est vrai que la confiance ne veut pas dire grand-chose pour toi.

Kerri baissa les bras. Il ajouta :

– Si ce n'était pas de la couverture et de la protection que je vous procure, toi et ta bande ne seriez que de petits malfrats sans envergure qui passeraient leur temps à battre des prostituées pour leur voler leur argent.

– Va chier.

Sur ce, Raphaël plongea la main dans la poche de sa veste pour attraper son arme. Mais il n'eut pas le temps de toucher à la crosse. Kerri était déjà sur lui pour le frapper à la tête d'un puissant coup de poing. Raphaël tomba sur le sol. Kerri enchaîna, lui assenant un coup de pied au ventre qui lui arracha un gémissement. Il reprit son arme en dévisageant rudement les trois hommes qui l'observaient sans bouger. L'indécision tiraillait leur visage, mais aucun d'eux n'osa réagir.

– Profitez du spectacle, mais je ne conseille à personne d'y participer, avertit sèchement Kerri.

Il se pencha, écrasant le sternum de Raphaël avec son genou pour lui couper le souffle. Il enfonça ensuite violemment le canon de son Walther P99 dans sa bouche. L'impact lui fit éclater deux dents. Raphaël suffoqua durant quelques secondes, puis Kerri retira son arme et relâcha la pression sur sa poitrine. Raphaël se pencha de côté pour cracher un graillon ensanglanté. Alors qu'il toussait, Kerri l'attrapa par les cheveux et plaqua le canon de son arme sur sa tempe.

– T'as voulu me tirer dessus, petit enculé? vociféra le policier.

Raphaël geignit. Des filets de sang maculaient son menton.

– Je ne peux pas encore prouver que tu es responsable de la mort d'Alexandre et c'est la seule raison pour laquelle tu es toujours en vie. Je vais mener ma petite enquête. Je suis doué pour ça. Si j'apprends que tu es impliqué, je reviens te trouver et tu seras mort avant de comprendre ce qui t'arrive.

En se relevant, Kerri donna un dernier coup de pied à Raphaël qui gémit de douleur.

– D'ici là, n'essaie pas de t'en prendre à moi. Si tu n'as rien à te reprocher, tu n'as rien à craindre. Dans le cas contraire, tu es déjà mort.

Au même moment, la porte métallique s'ouvrit et une silhouette s'engouffra dans l'entrepôt. L'homme paraissait pourchassé par le vent qui soufflait en bourrasques. La porte se referma. Le vent continuait de hurler en sourdine en martelant les tôles à l'extérieur. D'un regard circulaire, Édouard évalua la scène devant lui. Puis, ses yeux se posèrent sur Kerri.

– Qu'est-ce qui se passe?

– Une petite mise « aux poings », railla Kerri.

L'air grave, Édouard se dirigea vers le policier. Il l'attrapa par le bras fermement pour l'entraîner à l'écart. Kerri n'offrit aucune résistance. Pendant ce temps, Marty, August et Antoine aidèrent Raphaël à se relever. Lorsque les deux hommes furent suffisamment éloignés, Édouard fit face à Kerri.

– Pourquoi avoir tabassé Raphaël?

Édouard avait cinquante-six ans. Il avait une longue barbe et de petits yeux bleus. Il portait des vêtements dépareillés et des souliers avachis qui lui donnaient l'apparence d'un sans-abri. Mais le vieil homme était très alerte et lucide, ayant appris depuis longtemps à profiter de son apparence peu soignée pour tromper la vigilance de ceux qui le sous-estimaient.

Kerri l'aimait bien. Il appréciait son calme et ses opinions réfléchies. Mais avec le meurtre d'Alexandre les règles changeaient et il ne pouvait plus considérer Édouard comme un partenaire fiable. Lorsqu'une situation tournait mal, Kerri savait, par expérience, qu'il devait surtout se méfier des personnes qui inspiraient le plus confiance.

– Alexandre a été assassiné chez lui. Le meurtrier a mis le feu à sa maison et il s'est enlevé la vie. J'ai aussi les affaires internes sur le dos et, puisque cette situation rend plusieurs de tes hommes nerveux, je crois que j'ai toutes les raisons d'être ici pour poser des questions.

Édouard laissa passer un long temps de silence avant de parler.

– Était-ce nécessaire de tabasser Raphaël? Ce n'est pas prudent, devant les autres.

– Tu devrais te réjouir qu'il soit encore en vie. À ce stade, je n'ai pas l'intention de lui faciliter l'existence.

– Tu devrais chercher à régler tes problèmes et non à t'en créer de nouveaux.

– Justement.

Nouveau silence.

Édouard était passé maître dans l'art de masquer ses émotions. À cet instant, Kerri décela une lueur de scepticisme dans ses yeux. Puis, la transition s'opérant avec finesse comme chez un grand comédien nuançant son jeu, il afficha une consternation calculée. Bien que son expression fût indéniablement crédible, Kerri ne croyait pas à cette franchise. Cette interprétation répondait à une formule beaucoup trop théâtrale et elle ne fit qu'accroître sa méfiance. La question était de savoir si Raphaël était coupable et s'il aurait pu agir sans l'appui d'Édouard.

— Je veux être certain que tu comprends ce qui se passe, poursuivit le policier. Cet après-midi, mon partenaire s'est fait tuer par un cinglé qui a ensuite joué à la torche humaine et brûlé sa maison.

— J'avais compris la première fois. Tu connais le nom de la personne qui s'en est prise à Alexandre?

— Pas encore, mais je vais me renseigner. J'ai mes contacts et je connais le milieu criminel aussi bien que toi; si j'apprends que tu as quoi que ce soit à voir dans...

— Ne me menace pas, Kerri, et surtout pas ici.

Édouard n'avait pas élevé la voix ni pris un air menaçant. Il se contenta de regarder Kerri droit dans les yeux. Cette démonstration d'autorité fut suffisante et donna tout l'impact nécessaire à son avertissement. Édouard lui rappelait d'être prudent et Kerri ne devait pas perdre de vue que le ou les responsables n'étaient peut-être pas dans ce hangar.

— Tu as eu tort de t'en prendre à Raphaël. Il lui sera plus facile de tourner les autres contre toi.

– J'aime croire que tu as toujours le contrôle sur tes hommes.

– Tu ne me facilites pas la tâche en jouant les gros bras.

– Si tu n'es pas responsable, nous avons tous les deux intérêt à apprendre ce qui s'est passé. Les affaires internes n'étaient pas encore un problème, mais, avec le meurtre d'Alexandre, elles risquent de le devenir.

Édouard opina de la tête. Il gratta sa barbe broussailleuse et s'éclaircit la gorge.

– Je comprends ta colère, mais tu ne dois pas nous pointer du doigt juste parce que tu n'as personne d'autre à blâmer.

– Raphaël voulait ma mort et celle d'Alexandre. Je ne crois pas qu'il aurait cherché à me confronter, mais il aurait très bien pu s'en prendre à mon partenaire en sachant que ma réaction ressemblerait à celle-ci. Il savait que je rappliquerais pour le provoquer et que tu aurais à t'interposer. Ce qu'il a fait, c'est de te forcer à prendre un camp et à diviser notre union.

– Tu surestimes Raphaël. Il est dévoué et compétent, mais, en toute honnêteté, il n'est pas ce que l'on pourrait appeler un génie de la manipulation.

– Je n'en suis pas si sûr. Je crois que Raphaël aurait pu faire un effort pour trouver la meilleure façon de me nuire. En éliminant Alexandre, les tensions montent et il vous rallie contre moi.

– Alors pourquoi es-tu venu ici pour lui donner raison?

– Parce que mon partenaire s'est fait tuer et je

n'ai pas l'intention de rester dans un coin à attendre la suite des événements.

Kerri avait élevé la voix. Édouard tendit le bras pour l'inviter à se calmer.

– Écoute ce que j'ai à dire, proposa-t-il. Je suis navré qu'Alexandre soit mort et je ne sais pas ce qui a pu se passer. Je sais ce qu'il représentait pour toi. Je ne l'aurais certainement pas fait éliminer pour te voir rappliquer ici dans cet état d'agitation. Personne n'a envie d'un affrontement avec toi. Tu m'as dit pouvoir gérer la situation avec les affaires internes et je n'ai jamais laissé entendre le contraire. Je suis encore celui qui prend les décisions ici et je n'ai demandé à personne de se débarrasser d'Alexandre ou de toi. Laisse-moi vérifier de mon côté pendant que tu regardes du tien. Si Raphaël a quelque chose à voir dans cette histoire, je finirai par le savoir.

Avec cette affirmation, Édouard se dégageait de toute responsabilité en prétendant que Raphaël aurait agi sans son consentement s'il s'avérait impliqué. Le visage d'Édouard restait peu expressif et Kerri n'arriva pas à savoir s'il lui mentait. Le policier était prêt à lui accorder le bénéfice du doute. Pour l'instant.

– Très bien. Espérons seulement que mes recherches ne me ramènent pas ici.

Sur ce, Kerri tourna les talons et se dirigea vers la sortie. Édouard lui emboîta le pas. Raphaël était sur le chemin de Kerri et il était clair que le policier n'allait pas chercher à le contourner. De son côté, avec le soutien de ses complices, Raphaël n'avait pas l'intention de s'écarter. La tension était palpable et Édouard avait conscience qu'un seul mot de travers suffirait à provoquer un second conflit entre les deux hommes. Il accéléra le pas pour se placer entre eux et faire écran.

— Tu te caches derrière une personne âgée, lança candidement Raphaël.

Il avait retrouvé toute son assurance.

— Ça suffit, intervint Édouard. N'ajoute rien.

Édouard avait à peine élevé la voix, mais son ton véhiculait suffisamment d'autorité pour freiner les ardeurs de Raphaël qui, renfrogné, croisa les bras et détourna la tête pour ne pas soutenir le regard du vieil homme.

De son côté, Kerri garda le silence et réfléchit. Spontanément, il lui parut improbable que Raphaël soit impliqué dans le meurtre d'Alexandre si sa priorité était son orgueil blessé. Ne devrait-il pas être nerveux et s'efforcer de nier les allégations de Kerri plutôt que de rechercher une confrontation futile? Quoi qu'il en soit, Kerri n'allait pas se dérober; si Raphaël désirait racheter son honneur, le policier allait lui donner sa chance.

Il s'arrêta, mais avant qu'il ait pu ouvrir la bouche, il fut rapidement pris par le bras. Édouard l'entraînait vers la sortie. Kerri ne bougea pas et se libéra d'un coup d'épaule.

— Je ne t'ai pas oublié pour ça, éructa Raphaël en pointant sa bouche ensanglantée et en exhibant ses deux dents cassées.

— Voyons. Tu n'aimes pas ton nouveau look?

— C'est assez, vous deux! ordonna Édouard.

Les deux hommes l'ignorèrent. Raphaël fit un pas en avant et pointa son index vers Kerri de façon menaçante.

— Ne commence pas à te croire tout permis parce que tu as une arme sur toi. Tout le monde en a une, ici.

— Peut-être, mais légalement je suis le seul à avoir le droit de m'en servir. N'essaie pas de te débarrasser de moi et rappelle-toi une chose : si je tombe, tout ce petit réseau coulera avec moi.

— Alexandre est tombé, lui, et nous sommes toujours là.

Raphaël afficha un sourire satisfait. Il était visiblement fier de sa dernière réplique.

— Tu sais, dans les histoires de corruption, on ne sait jamais vraiment qui sera le premier à être renversé.

Soudain, Kerri décocha au visage de Raphaël un coup de poing qui l'envoya directement au sol. Aussitôt, Kerri constata un changement d'expression sur les traits de Marty, d'August et d'Antoine. Cette fois, ils ne resteraient pas sans réagir et, bien que leur réaction fût lente, ils s'apprêtaient à prendre la défense de leur compagnon.

Kerri allait dégainer son pistolet, mais Édouard intervint avant que l'altercation ne dégénère. Il leva la main pour imposer le calme aux trois hommes, avant de tirer Kerri vers la porte d'entrée en usant d'une force qui surprit le policier.

Au sol, Raphaël respirait par saccades bruyantes et sa bouche était tordue en une grimace de douleur.

— Tu tiens vraiment à provoquer un bain de sang? ragea Édouard.

Le vieil homme n'avait pas l'habitude de

perdre patience, mais Kerri savait qu'il avait dépassé les bornes.

– C'est exactement ce qui attend les coupables.

– Ça va, on a compris. Ton message est clair. Maintenant tu n'as plus rien à faire ici et je te conseille de partir.

Édouard avait déjà retrouvé son calme, mais les inflexions d'autorité dans sa voix étaient sans appel. Kerri regarda derrière lui. Les trois hommes étaient de nouveau penchés sur Raphaël pour l'aider à se relever. Avec la tension qu'il venait de provoquer, Kerri n'allait pas chercher à contredire Édouard qui l'abandonna juste devant la porte et retourna vers le quatuor.

Une fois relevé, Raphaël maugréa. Il avait le visage cramoisi et serrait les poings rageusement. Édouard se rapprocha de lui pour lui murmurer quelques mots. Graduellement, son flot d'injures s'endigua et Raphaël parut retrouver son calme. Il tourna les talons et se dirigea vers la partie ombrée du hangar. D'un coup de pied, il renversa une poubelle sur son passage. Kerri sortit.

Dehors, la pluie battante s'était transformée en fines gouttelettes, donnant à la nuit une humeur mélancolique. Des flaques d'eau éparses parsemaient le stationnement craquelé du hangar.

En se rapprochant de sa voiture, Kerri jetait des regards par-dessus son épaule. La porte de l'entrepôt demeurait fermée et personne ne semblait vouloir donner suite aux hostilités qu'il avait déclenchées.

Une fois derrière le volant, il jeta un regard au hangar. L'endroit paraissait abandonné. Les rares vitres avaient été obstruées pour empêcher la lumière de traverser. De l'extérieur, peu d'indices laissaient supposer une présence humaine et encore moins l'exercice d'un commerce illicite. Même les véhicules étaient garés de façon à ne pas attirer l'attention.

Kerri soupira. Il observa la pluie qui ruisselait sur le pare-brise et qui déformait sa périphérie en créant des formes confuses et oblongues. Au-delà de la vitre, le monde paraissait hostile et chargé de menaces; une impression qui convenait tout à fait à la réalité.

Il démarra et actionna les essuie-glaces. Le moteur vrombit dans la nuit. Kerri se dirigea vers le centre-ville.

La pression venant des affaires internes n'était pas illusoire. Il songea à Alphonse qui n'était pas satisfait des rapports qu'il avait rédigés dans la zone où le réseau opérait. Jamais de squatters à chasser ou de drogués profitant de la discrétion des lieux pour s'évader. C'était du moins ce que Kerri prétendait. Ce coin était oublié et, considérant les nombreux rapports chargés des zones adjacentes, Alphonse était persuadé que cette négligence était délibérée. Le commandant détenait très peu d'informations pour justifier l'intervention des affaires internes, mais, apparemment, il avait su se montrer persuasif. Alexandre avait aussi été mis sous enquête, mais Alphonse était moins suspicieux à son égard. La situation de

Kerri aurait pu rapidement s'aggraver sans l'implication de son ancien commandant qui avait encore un pouvoir influent dans le milieu policier. Il avait reproché aux enquêteurs des affaires internes d'agir secrètement dans le but non fondé de ternir la réputation d'un excellent policier. Les enquêteurs continuaient néanmoins leur travail en essayant de cumuler les preuves contre Kerri. Si des accusations potentielles se justifiaient, Alphonse serait sans pitié.

Bien avant le meurtre d'Alexandre, la nouvelle voulant que Kerri soit l'objet d'une enquête avait trouvé écho chez ses complices qui n'avaient pas tardé à manifester leur mécontentement et leur inquiétude. Si les risques devenaient trop grands, certains d'entre eux craignaient que Kerri les dénonce pour sauver sa peau. Le policier pouvait très bien faire disparaître toutes les preuves le rattachant à l'organisation. Il n'aurait plus ensuite qu'à diriger des enquêteurs sur les lieux d'opération. Le petit réseau serait démantelé et les arrestations suivraient. Une fois la filiale tombée, Kerri n'aurait plus qu'à nier si ses anciens partenaires essayaient de l'impliquer. Il pourrait faire mention de l'arrestation du frère de Raphaël et affirmer que ce dernier cherchait à lui nuire pour se venger. Si la chance était de son côté et s'il organisait bien son coup, Kerri pouvait s'en sortir indemne. Peut-être serait-il même promu.

Ses complices n'avaient pas complètement tort de craindre cette éventualité puisqu'elle lui avait en effet effleuré l'esprit. Kerri était capable de tout et il était suffisamment corrompu pour recourir à cette échappatoire s'il ne pouvait empêcher les affaires internes de découvrir l'existence du réseau. Mais, sans l'appui d'Alexandre, Kerri aurait beaucoup plus de difficulté à se blanchir de tout soupçon. Sa parole ne suffirait pas et il était hors de question aujourd'hui de trahir ses complices criminels.

Dans l'entrepôt, Raphaël avait soulevé un propos pertinent: pourquoi éliminer seulement Alexandre? Il aurait été plus avisé de faire abattre les deux policiers en même temps et il était encore plus imprudent de s'attaquer à Kerri en deuxième. Mais si les membres du réseau n'avaient rien à se reprocher, qui était responsable? Pourquoi faire disparaître Alexandre? Kerri le connaissait mieux que personne et son ami n'avait aucun ennemi secret.

Il allait devoir envisager la possibilité que les affaires internes puissent être impliquées. Cette division connaissait aussi sa part de corruption et, si des enquêteurs avaient découvert son trafic, ils pouvaient très bien désirer se l'approprier avec la complicité de ripoux travaillant dans son propre PDQ. Dans cette perspective, le meurtre d'Alexandre s'avérait un coup brillant puisqu'il ne pouvait qu'entraîner une dissidence au sein du réseau. Les policiers corrompus n'avaient qu'à les laisser s'entre-tuer, arrêter les membres survivants et s'approprier le marché. C'était une machination astucieuse que Kerri lui-même aurait envisagée à la place des enquêteurs. Seulement, il avait généralement une bonne intuition pour reconnaître un criminel et, ayant précédemment rencontré les enquêteurs affectés à son dossier, il n'avait pas décelé chez eux de penchants pour la duplicité et l'opportunisme. De plus, ces hommes avaient été mobilisés par un commandant intègre.

S'agissait-il d'une autre organisation criminelle convoitant leur marché? Kerri pouvait difficilement le croire. Leur trafic n'était pas suffisamment important pour attirer l'attention de la concurrence. Il ne croyait pas non plus que le coup puisse venir d'employés du port. Tommy était inoffensif et fidèle au réseau.

La dernière hypothèse était que leur commerce de méthamphétamines n'ait rien à voir avec le meurtre d'Alexandre. Le responsable devait avoir des raisons bien personnelles pour mettre fin à ses jours en tuant son partenaire. Pourquoi s'était-il enlevé la vie? Le crime avait-il été commandé ou s'agissait-il de l'œuvre du meurtrier uniquement?

Les policiers n'étaient pas chargés de mener des enquêtes criminelles et, même si Alexandre était son partenaire, la faveur de s'occuper du dossier ne lui serait pas accordée. Encore moins s'il devait en faire la demande à Alphonse. Il allait donc secrètement mener sa propre investigation.

Le policier fit abstraction de ses réflexions et se concentra sur sa conduite. Le trafic et les nombreux piétons composaient une vie nocturne en mouvement perpétuel. Sur la rue Sainte-Catherine, Kerri aperçut des prostituées qui, malgré un vent froid, exhibaient leur chair en portant de petites tenues aguichantes et étriquées. Certaines étaient chaussées de hautes bottes en latex. Immobilisé à un feu de circulation, le policier attarda son regard sur une jeune Asiatique qui fixait du rouge à lèvres écarlate dans un mouvement lent et suave. Sa courte jupe de couleur cerise dévoilait le galbe de ses longues jambes effilées. Elle correspondait tout à fait au genre de Kerri. Mais pas ce soir puisqu'il ne voulait pas s'encombrer de distractions en se livrant à des plaisirs charnels. Le feu passa au vert. Le policier avança lentement dans les rangs serrés de la circulation.

Plus que jamais, Kerri était seul pour résoudre cette affaire. Soupçonnant ses complices criminels, il ne pouvait pas se tourner vers Édouard pour obtenir du support, et la seule personne sur qui il aurait pu compter avait été tuée. Ses partenaires dans le crime, les affaires internes et peut-être un joueur inconnu : Kerri devait se méfier de plusieurs entités.

Il soupira en pensant à Alexandre. Sa collaboration au sein du réseau de méthamphétamines ne faisait pas de lui un homme mauvais. Il aimait sa femme et souhaitait seulement sécuriser leur avenir et concrétiser leur désir d'avoir plusieurs enfants. Alexandre était fondamentalement habité par de bonnes valeurs. Ce qui n'était pas le cas de Kerri qui ne connaissait pas le remords et se laissait séduire par toutes les formes de corruption. Toutefois, Kerri reconnaissait l'authenticité d'un ami comme Alexandre. Ce respect était précieux; il l'aidait à faire la paix avec la part sombre qui l'habitait. Alexandre était tout pour Kerri; il était comme un frère. Mais le responsable de la mort d'Alexandre avait tort de le croire vulnérable, et cette tragédie n'aboutissait qu'à une seule chose : Kerri Aubrey n'avait jamais été aussi dangereux.

Chapitre 6

Jeudi, 8 h 28

C'était une petite maison. Vincent longea une allée étroite bordée de buissons rabougris pour rejoindre l'entrée. Il cogna à la porte. L'inspecteur patientait. Il était nerveux et se sentait comme s'il n'était pas le bienvenu.

Grâce à la plaque minéralogique, les enquêteurs du poste de Saint-Bruno-de-Montarville avaient trouvé sans difficulté l'adresse de Pierre Denis. En discutant avec Clara, ils avaient appris que son mari avait disparu et que la Saab leur appartenait. Ces informations avaient été communiquées à Vincent.

Finalement, le verrou fut tiré. La porte s'entrebâilla et une silhouette apparut.

Mi-vingtaine, Clara Denis était grande et mince. Elle avait le teint pâle et des cheveux blonds, un visage anguleux et des pommettes saillantes. Elle portait un chandail de laine et un jean délavé. Elle s'efforça de paraître amicale malgré ses yeux rougis et ses joues empourprées par le chagrin.

– Bonjour. Je suis l'inspecteur Auger. Nous nous sommes parlé au téléphone.

La jeune femme le gratifia d'un sourire torturé.

— Êtes-vous certain qu'il s'agit de mon mari?

— Les dossiers dentaires seront nécessaires pour le certifier, mais Maryse Verne a assisté à la tragédie et la description qu'elle nous a faite de l'homme qui s'est attaqué à Alexandre Verne correspond exactement à celle que vous nous avez donnée de votre mari. Je suis désolé.

Vincent n'avait pas encore rencontré Maryse; les enquêteurs de Saint-Bruno-de-Montarville lui avaient aussi donné ces renseignements.

— Est-ce que je peux le voir?

— Votre mari a des brûlures au troisième degré sur toute la surface de son corps. Son visage est méconnaissable.

Des larmes affluèrent aux yeux de Clara. Sa lèvre inférieure tremblait furtivement. Sans rien ajouter, elle s'écarta pour le laisser entrer et elle entraîna Vincent dans un vaste salon où des fauteuils couverts de draps havane et des meubles en cerisier occupaient l'espace.

— Vous voulez un café? s'enquit-elle.

Sa voix était enrouée. Malgré ce qu'elle venait de vivre, cette femme se montrait affable et non hostile. L'inspecteur fut impressionné par son comportement, et sa courtoisie le mit mal à l'aise.

— Rien pour moi. Merci.

— Je vais à la cuisine pour me servir. Assoyez-vous. Je vous rejoins bientôt.

L'inspecteur prit place dans un fauteuil confortable pendant que Clara gagnait la cuisine. Devant lui, des magazines de décoration étaient étalés sur une table basse. Il y avait aussi des revues de mode en papier glacé qui exhibaient des collections de vêtements pour l'automne. Une sélection de magazines communs pour un couple moderne apparemment sans histoire. Pourtant, Pierre dissimulait une part d'ombre qui avait germé en folie destructrice. Un homme probablement apprécié et qui ne suscitait pas la méfiance de son entourage. Toutefois, avant de passer à l'acte, Pierre avait forcément laissé des indices derrière lui. Des signes subtils qui échappaient à ses voisins et amis, mais pas à la personne avec qui il partageait sa vie privée. Pour cette raison, Vincent avait hâte d'entendre ce que Clara avait à lui raconter. Il était aussi curieux de savoir si Pierre avait des antécédents de violence conjugale. Même si de tels incidents n'avaient jamais été rapportés, cela ne voulait pas dire qu'ils ne s'étaient jamais produits. Une chose que Vincent avait pu vérifier, c'était que Pierre n'avait pas de casier judiciaire. Mais sa femme pouvait très bien vivre dans la terreur et garder le silence sur la violence qui habitait son mari. Maintenant, Pierre était mort et peut-être que Clara pouvait finalement se confesser en toute quiétude. L'inspecteur devait aussi considérer la possibilité que Clara n'ait rien vu venir. Il était persuadé que cette femme ne feignait pas sa douleur. Sa sincérité laissait aussi supposer qu'elle ait pu délibérément fermer les yeux sur bien des indices pour ne pas admettre un changement dérangeant chez l'homme qu'elle aimait. Si c'était Pierre le manipulateur, il avait pu cacher sa nature déviante et préméditer son crime depuis longtemps en abusant de la confiance de son épouse. Toutefois, Pierre pouvait aussi avoir commis un acte spontané et irréfléchi; chose certaine, Alexandre Verne n'avait pas été choisi par hasard. Pierre dissimulait un secret et Vincent était ici pour le découvrir.

Clara revint au salon. Elle s'assit sur un divan pour faire face à Vincent en posant sa tasse fumante sur la table près des magazines. Les fins arômes du café montaient dans l'air.

– J'ai fait beaucoup de café au cas où vous changeriez d'idée.

– Ce n'était pas nécessaire, répondit-il poliment.

Il hésita à offrir à nouveau ses condoléances, mais y renonça, préférant plutôt entrer dans le vif du sujet. Toutefois, ce fut la jeune femme qui parla en premier.

– Je n'arrive pas à croire ce qui s'est passé! souffla-t-elle.

Clara luttait pour retenir ses larmes. Elle était encore sous le choc de la nouvelle. Elle reprit en s'efforçant de maîtriser sa voix tremblotante.

– Pierre n'avait aucune raison de s'enlever la vie et ce n'est pas un... tueur.

– Je suis ici pour essayer de comprendre ce qui s'est passé. Quand avez-vous vu votre mari pour la dernière fois?

Le visage de Clara se crispa. Elle but une gorgée de café avant de répondre. La tasse tremblait légèrement entre ses doigts fébriles.

– C'était hier en milieu d'après-midi.

– Vous rappelez-vous l'heure approximative?

– Environ quatorze heures trente.

L'inspecteur fronça les sourcils.

– En êtes-vous certaine?

– Peut-être pas à la minute près, mais je sais que c'était entre quatorze heures trente et quatorze heures quarante-cinq. Pierre était avec moi et il est parti précipitamment sans m'adresser la parole.

Vincent fut surpris par cette information. Pierre avait donc quitté son domicile pour se rendre directement chez Alexandre.

– Racontez-moi ce qui s'est passé.

Clara prit une profonde inspiration et garda le silence pendant quelques secondes pour organiser ses pensées. Vincent se demanda quel serait l'impact de la tragédie sur cette femme. La mort de son mari allait-elle l'anéantir ou lui faire découvrir de nouvelles forces? Qu'allait-elle devenir? Un vent léger à la dérive ou la pierre sur laquelle il se brise?

– Nous étions tous les deux à la maison hier après-midi. Pierre ne travaille pas les mercredis et j'étais en congé jusqu'à vendredi. Je suis secrétaire à l'hôpital Charles-Lemoyne.

– Quel était le métier de votre mari?

– Il était électricien.

Clara marqua une pause. Elle manipulait nerveusement un bracelet en argent qui cerclait son poignet gauche. Ses doigts effleuraient l'objet avec délicatesse, sans qu'elle semble prendre conscience de son geste. Vincent n'aurait pas été surpris que cet objet lui ait été offert par son mari.

Clara secoua la tête avec résignation et s'arma de courage pour poursuivre.

– J'étais au téléphone. Pierre venait de récupérer notre courrier. Après avoir raccroché, je suis allée au salon. Il avait ouvert une enveloppe qui lui était adressée. J'ai tout de suite senti que quelque chose n'allait pas. Pierre me tournait le dos et ne bougeait pas. Je me suis approchée et...

La voix de Clara s'étrangla. Elle croisa les bras et frissonna. Il était clair que la suite de l'histoire abordait le début du cauchemar.

– Prenez votre temps.

– Au début, je n'ai pas examiné ce qu'il tenait. Toute mon attention est allée à Pierre. Je ne l'avais jamais vu dans un état pareil. Son visage était inexpressif et il avait le regard vide. Il paraissait ailleurs, hypnotisé. J'ai répété son prénom plusieurs fois sans arriver à susciter la moindre réaction de sa part. Inquiète, je me suis mise devant lui et je l'ai secoué par les épaules. C'est à ce moment qu'il a lâché l'objet contenu dans l'enveloppe. Je me suis penchée pour le ramasser. Mon mari s'est retourné et il est passé devant moi sans me regarder. Il marchait comme un automate. J'étais furieuse. Je l'ai suivi et il s'est enfermé dans le garage en me claquant la porte au nez.

Vincent avait remarqué en entrant la porte intérieure qui communiquait avec le garage.

– Je suis restée paralysée un moment, ne comprenant rien à ce qui se passait. Peu après, j'ai entendu la porte du garage qui s'ouvrait. J'ai juste eu le temps de sortir de la maison pour voir mon mari partir dans notre voiture.

Clara avait terminé son récit sur un ton expéditif comme pour se libérer. Colère et tristesse composaient son expression. Elle s'essuya les yeux d'un revers de la main pour balayer ses larmes.

Vincent attendit quelques secondes, avant de demander :

— Quel était l'objet dans l'enveloppe?

— Une chaîne en argent avec un médaillon en forme de cœur.

— Croyez-vous que la conduite étrange de votre mari ait été conditionnée par cet objet?

— C'est ce que j'ai cru comprendre en retournant au salon. Le bijou a déclenché quelque chose. C'était comme si on lui avait jeté un sort.

— Aviez-vous déjà vu cet objet auparavant?

— Bien sûr. C'est moi qui le lui avais donné en cadeau.

Vincent ne put masquer son étonnement. Cette information lui paraissait insensée comme une pièce qui ne pouvait pas s'insérer dans le casse-tête de cette affaire.

— Vous dites que votre mari a reçu par la poste un objet que vous lui aviez donné en cadeau?

— J'avais offert cette chaîne à Pierre pour célébrer notre premier anniversaire de mariage, mais il l'a perdue peu de temps après. Il a retourné toute la maison pour la retrouver. Il a vérifié à son travail et fouillé la voiture. Il a même téléphoné aux restaurants que nous fréquentions pour vérifier si la chaîne n'avait pas été retrouvée par un employé. Il s'en voulait de l'avoir perdue et je sais qu'il s'acharnait à la récupérer pour me montrer combien il m'aimait.

Le visage de Clara se crispa.

– Et il ne l'a pas retrouvée? conclut Vincent.

– Non, malgré toute sa bonne volonté et ses efforts, la chaîne était perdue.

– Et, elle vous est revenue par la poste dans une enveloppe?

– C'est ça.

– Il l'avait perdue depuis longtemps?

– Oui. Il y a plus d'un an, je dirais. Nous n'y pensions plus, tous les deux.

Clara perçut le scepticisme de Vincent malgré ses efforts pour le dissimuler.

– Qui était l'expéditeur? Est-ce que c'est une personne que vous connaissez?

– Il n'y a pas d'adresse de retour sur l'enveloppe.

– Où se trouve-t-elle?

Clara pointa le doigt vers le coin gauche du salon. Entre deux meubles, Vincent repéra l'enveloppe sur le sol.

– J'ai touché à la chaîne. Je suppose que je n'aurais pas dû, mais vous devez comprendre que je ne pouvais pas savoir que mon mari ferait l'objet d'une enquête et...

Sa voix s'étrangla. Elle plissa les yeux et son expression se durcit.

– J'ai cru que je pourrais peut-être comprendre en tenant la chaîne dans mes mains. C'est moi qui la lui avais offerte, après tout. Pourquoi s'enfuir sans m'adresser la parole? Il aurait dû se réjouir de la retrouver. Aujourd'hui, j'apprends qu'il a tué une personne et qu'il s'est ensuite enlevé la vie. Cet objet était un symbole d'amour. Que dois-je comprendre?

La voix de Clara était vibrante d'amertume. Elle ne pouvait s'empêcher de faire un pénible examen de conscience, évaluant sa part de responsabilité dans l'affaire et les zones d'ombre du comportement de son mari qui auraient pu lui échapper. Elle reprit:

– Après avoir tenu la chaîne quelques secondes, je me suis sentie profondément dégoûtée. Je l'ai remise dans l'enveloppe et je l'ai lancée dans un coin du salon pour ne plus avoir à la regarder.

– Je vais devoir apporter ces preuves pour qu'elles soient étudiées.

L'inspecteur ouvrit sa mallette. Il enfila une paire de gants en latex et prit deux sacs en plastique. Il se leva et s'avança prudemment vers l'enveloppe comme s'il s'agissait d'une bombe qui risquait d'exploser. Il la ramassa et l'ouvrit.

La chaîne avait été déposée dans une feuille de papier essuie-tout roulée. Vincent l'examina de près. Le médaillon avait la forme d'un cœur vermillon traversé d'une croix dorée semblable à celle qui symbolise le martyre du Christ. L'apparence inoffensive de l'objet le rendait encore plus inquiétant en considérant le pouvoir qu'il avait exercé sur Pierre. Une simple chaîne qui s'était transformée en boîte de Pandore. Soudain, Vincent fut parcouru d'un frisson, comme si le spectre de Pierre rôdait dans la pièce, hurlant à la cruauté du destin.

Vincent glissa la chaîne dans un des sacs en

plastique, l'enveloppe et le papier essuie-tout dans l'autre. Il les scella, retourna les déposer dans sa mallette et enleva ses gants. L'inspecteur sortit ensuite une photo qu'il tendit à la jeune femme qui sirotait son café avec un air préoccupé.

– Connaissez-vous cet homme?

Remis par un enquêteur du poste de Saint-Bruno-de-Montarville, le cliché montrait Alexandre Verne en uniforme.

– Je ne connais pas cette personne, fit-elle après avoir détaillé le portrait.

– Vous en êtes bien certaine? insista poliment Vincent.

– J'ai une très bonne mémoire, et ce visage m'est totalement inconnu.

Clara avait légèrement haussé le ton.

– Cet homme est le policier que votre mari a assassiné, dit Vincent en attendant une réaction.

Elle n'ajouta rien et Vincent n'insista pas. Il rangea la photo.

– Votre mari avait-il des ennemis?

– Pas que je sache.

– Avait-il un comportement étrange, ces derniers jours?

– Je n'ai rien remarqué d'alarmant, répondit-elle avec un soupir d'exaspération. Mon mari n'était pas un homme brutal et il n'a jamais détesté une personne au point de vouloir la tuer.

Le ton de Clara changeait progressivement, la colère occultant ses manières affables. Avant que Vincent ne pose une autre question, elle déclara:

— Mon mari n'avait pas d'antécédents violents. Du moins, pas depuis qu'il avait reçu de l'aide au Centre Mariebourg lorsqu'il était enfant.

Clara demeura interdite pendant un instant.

— Vous pouvez m'en dire plus? demanda Vincent.

— C'était il y a longtemps, fit-elle abruptement comme si elle regrettait d'avoir abordé le sujet. C'était une époque sombre de son passé qu'il a toujours préféré taire. Pierre avait des problèmes de comportement lorsqu'il était enfant et le Centre Mariebourg lui avait permis de «contrôler» son agressivité.

Clara affirma que son mari n'avait jamais été violent avec elle. Son insistance fit douter Vincent. Il allait continuer à interroger Clara sur le Centre lorsqu'elle lança un argument troublant qui eut l'effet d'une bombe.

— Mon mari n'avait aucune raison de vouloir se tuer. Nous venions tout juste d'emménager et... nous attendions notre premier enfant. Je suis enceinte de deux mois.

Vincent fut désarçonné. Il ne sut quoi répondre.

— Pierre désirait être père depuis quelque temps, enchaîna Clara. Il était si heureux lorsque je lui ai annoncé que nous allions avoir un bébé. Pourquoi s'enlever la vie, alors?

Cette information changeait plusieurs présomptions à l'endroit de Pierre, et Vincent préféra mettre un terme à l'entretien.

— Je vous remercie, Clara.

Il lui remit sa carte.

– Vous pourrez me joindre en tout temps.

Elle resta muette. L'inspecteur essaya d'imaginer sa douleur. Elle venait de perdre son mari au moment où leur couple aurait dû être le plus uni. Elle ne l'accompagna pas à la sortie et Vincent en fut presque soulagé.

Une fois derrière le volant de sa voiture, Vincent se mordilla la lèvre inférieure. Il ne savait plus quoi penser de Pierre. Son crime était-il prémédité ou spontané? Quels étaient les liens qui unissaient les deux hommes? L'image de la chaîne s'imposa dans son esprit. Cet élément déclencheur le renvoyait directement à Clara. Alexandre avait-il une relation avec elle? S'agissait-il d'un crime passionnel? Si la jalousie était le motif, pourquoi Pierre ne s'en était-il pas pris directement à sa femme?

Vincent démarra et engagea sa voiture dans la circulation en essayant de voir clair dans toutes ces questions pour essayer de déterminer un mobile. Arrêté à une intersection, nerveusement, il faisait courir ses doigts sur le volant. Une voiture le coupa abruptement au moment où le feu tournait au vert. Vincent klaxonna et jura. Il pensa à la confiance qu'Émery lui avait témoignée et eut honte de s'emporter pour un incident aussi banal.

Ayant vite retrouvé son calme, Vincent poursuivit sa route. Curieusement, il songea à son ex-femme. Il se rappela le jour de leur mariage. Son épouse portait une robe blanche évasée de la taille aux chevilles. Le décolleté de la robe découvrait ses épaules et soulignait le galbe de sa généreuse poitrine. Elle portait des gants blancs brodés. Elle était resplendissante, sa peau laiteuse irradiant d'une lumière que seuls les amoureux peuvent percevoir. Le couple s'était offert un long voyage dans les stations balnéaires de San José del Cabo au Mexique. Sur la plage chauffée par le soleil, leur regard se perdait dans les eaux bleues de la mer de Cortez. Un véritable rêve paradisiaque. Vincent aurait dû se douter qu'un bonheur aussi parfait ne pouvait pas durer éternellement.

Une voix intérieure ricana et, soudainement, Vincent effleura le souvenir du moment le plus sombre de son passé. Un événement troublant et tumultueux dont il avait été responsable. Il repensa à la violence et à la haine aveugle qui l'avaient possédé; il revoyait sa descente aux enfers. Il secoua la tête. Cet incident était un cas isolé; Vincent n'était pas instable. Bien qu'il eût pleinement confiance en sa capacité à gérer son agressivité, l'inspecteur ne se montrait pas imprudent pour autant. Il redoutait le mal qui l'avait possédé autrefois comme un ennemi battu, mais rôdant toujours dans le but de prendre sa revanche. Sans ses états de service exemplaires, il n'aurait peut-être jamais réintégré la SQ.

Vincent se massa les tempes. Il alluma la radio pour penser à autre chose et régla le poste sur une chaîne qui diffusait des bulletins de nouvelles. Un centre commercial américain avait été évacué suite à une fausse alerte à la bombe; le prix de l'essence continuait à monter... Vincent changea d'idée et éteignit la radio. Son enquête était suffisamment exigeante sans qu'il ait à se préoccuper de la perpétuelle myriade d'informations déprimantes qui composait l'actualité.

L'inspecteur songea à la chaîne. Ce bijou avait été une mèche enflammée et Pierre, une bombe. Il ne restait plus qu'à savoir qui avait tenu l'allumette.

Chapitre 7

Orphelin, Vincent avait passé les premières années de sa vie dans un foyer d'accueil. À dix ans, il avait été envoyé dans une famille. Cinq semaines plus tard, il retournait en foyer. Vincent restait indifférent à l'amour de ses parents adoptifs. Il réagissait froidement à l'encadrement et étouffait s'il était enserré dans des bras affectueux.

Le même scénario s'était répété pour les deux familles suivantes dans lesquelles Vincent avait été placé et il n'avait pas tardé à venir à bout de la dévotion de ses nouveaux parents. Même si les raisons changeaient quelque peu d'avec la première famille, le facteur principal restait toujours le même : Vincent ne se laissait pas aimer. Il était d'abord décrit comme un enfant introverti et timide. Rien de bien désagréable au début, jusqu'à ce que les premiers témoignages d'affection le rendent distant et parfois agressif. Vincent se plongeait alors dans un mutisme agité où chaque nouvelle tentative de communication l'isolait davantage.

Le plus long séjour de Vincent en famille d'accueil avait été son dernier alors qu'il était demeuré plus de trois mois avec un couple d'une quarantaine d'années. Un homme et une femme extrêmement sympathiques qui, acharnés et résolus, avaient voulu gagner son affection. Ils s'étaient efforcés de le comprendre et avaient été très tolérants. Toutefois, l'échec n'en avait été que plus amer pour eux: Vincent avait cassé le bras de son père adoptif qui s'était entêté à l'étreindre pour lui témoigner son amour. Il n'avait alors que treize ans.

Ce geste l'avait renvoyé en foyer d'accueil. Son châtiment avait été sévère, mais il ne s'était jamais plaint. Il semblait même heureux d'évoluer dans une discipline austère plutôt qu'au sein d'une famille où des parents attentionnés cherchaient continuellement à questionner ses silences.

La plupart des membres du personnel du foyer d'accueil avaient une bonne opinion de Vincent. Par contre, certains reconnaissaient cette agressivité en lui comme un mal latent qui ne pouvait guérir qu'en le privant de tout amour. Vincent ne se considérait pas habité par un mal pernicieux qui lui gangrenait l'esprit. Lorsqu'il avait compris que le personnel du foyer souhaitait le tirer de son introversion, il avait commencé à jouer la comédie en livrant la performance à laquelle on s'attendait de lui. Il avait affiché des résultats encourageants en se montrant plus ouvert avec les gens qui l'abordaient. Ainsi, il avait évité de soulever des inquiétudes et d'attirer inutilement l'attention. Toutefois, Vincent était bel et bien habité par la hargne et l'affliction. Secrètement, il était jaloux des membres du foyer et enviait leurs portraits de famille accrochés dans leur bureau alors que lui était seul. Il détestait lorsque les adultes prétendaient le comprendre et il jugeait leur compassion hypocrite. Si ses parents l'avaient rejeté, comment des inconnus pouvaient-ils aspirer à l'aimer?

Malgré ses progrès, Vincent avait été ravi que la direction du foyer décide de ne plus l'envoyer en famille d'accueil. Il était resté au foyer jusqu'à ce qu'il devienne majeur. À l'âge de dix-huit ans, il s'était inscrit à l'École nationale de police du Québec à Nicolet. Il avait obtenu son diplôme sans difficulté.

Son rêve était de devenir enquêteur.

Bien qu'il ait appris à se fondre dans la collectivité, Vincent gardait une certaine froideur en lui. En vieillissant, il gagna en maturité et réévalua sa perception de l'affection et de l'amour. Ces sentiments, qui lui paraissaient autrefois artificiels et mensongers, éveillaient aujourd'hui sa curiosité. Il ne se méfiait plus instinctivement des personnes qui lui témoignaient de la sympathie. Lorsqu'il était plus jeune, Vincent ne souhaitait pas combler par un substitut le vide laissé par ses parents. C'était pour cette raison que tous ses parents adoptifs n'avaient pas réussi à l'amadouer. Avec les années, il comprit son erreur et apprit à ne pas considérer l'amour comme une expérience qui ne pouvait que le décevoir. Ainsi, il se permit des rencontres qu'il déclinait continuellement auparavant, étudiant la sincérité des gens et s'ouvrant prudemment à ceux qu'il jugeait dignes de confiance. Ses premiers amis furent des collègues de travail. Il participa à d'autres activités sociales, et son cercle d'amis s'élargit. Il perdit sa méfiance et prit plaisir à échanger avec de nouvelles connaissances.

Vincent n'était plus l'enfant renfermé qu'il avait été jadis. Parfois, il aurait souhaité renouer avec ses différents parents adoptifs pour qu'ils puissent constater comment il avait changé. Il aurait aimé s'excuser. Il ne fit jamais de démarches pour les retrouver, ayant trop peur de commettre une nouvelle maladresse. Eux aussi avaient changé et sa visite risquait d'éveiller des souvenirs douloureux.

Vincent fut engagé par le service de police de la Sûreté du Québec. Par la suite, il devint enquêteur au Service des enquêtes sur les crimes contre la personne. Puis, il se joignit à l'Équipe intégrée en matière de pornographie juvénile qui regroupe des membres de la SQ et de la GRC*. Il gravit les échelons, obtenant successivement les grades de caporal, de sergent et de lieutenant.

À trente-cinq ans, il rencontra Claudia qui allait devenir sa femme. Moins d'un an après leur mariage, Claudia donnait naissance à la petite Lily.

Les années passèrent et Vincent oublia les jours où il fuyait l'amour. Il ne laissait plus la méfiance ruiner ses rencontres. Une victoire satisfaisante qu'il avait toutes les raisons de croire permanente. Il devint un professionnel respecté et un père de famille attentionné. Il était heureux.

---

* GRC : Gendarmerie royale du Canada

Parfois, il se considérait comme un homme qui avait passé une bonne partie de sa vie à marcher sur le bord d'un gouffre sans y tomber. La métaphore était tout à fait appropriée, sauf que Vincent n'avait pas réalisé que sa chute était à venir.

Après sept ans de mariage, Claudia mit brutalement un terme à leur relation. Elle s'était très bien préparée avant de lui annoncer la nouvelle. Elle obtint sans difficulté la garde de leur fille de six ans. Vincent dut se contenter de voir Lily une fin de semaine sur deux. Les prétextes de Claudia furent nombreux, mais, pour Vincent, elle s'était bien gardée de lui dire la vérité. Il savait que la raison principale de son départ tenait à l'aspect glauque de son travail. Ironiquement, c'était Claudia qui avait souhaité connaître les détails de son métier. Pour elle, un couple ne devait pas avoir de secrets, et elle insistait d'autant plus que Vincent préférait taire certaines vérités. Sa femme s'était d'abord butée aux réticences de son mari, mais son ardeur avait fini par le faire céder. Vincent commença à parler de son travail ouvertement en relatant les affaires et les dossiers qui lui étaient confiés. Il se montra d'abord prudent, minimisant les faits et évitant de ponctuer ses récits d'éléments sordides. Claudia se réjouissait des confidences de son mari et voyait dans son ouverture d'esprit une preuve de confiance. Ainsi, les jours passèrent et Vincent devint plus explicite. Le couple paraissait bien se porter, mais, subtilement, un changement néfaste s'opérait. Ou bien Vincent avait mal évalué la teneur de ses récits ou bien son épouse avait surestimé sa tolérance. Quoi qu'il en soit, l'inévitable était déjà enclenché. Bientôt, chaque nouvelle déclaration de Vincent éloigna davantage son épouse et, avant qu'il ne comprenne et puisse corriger la situation, un fossé s'était creusé entre eux.

Une fois les derniers papiers de divorce signés, Claudia s'éclipsa sans se donner la peine de s'expliquer comme Vincent l'aurait souhaité. Il demeura passif. Il ne savait pas comment critiquer sa femme ou, du moins, il ne savait pas comment le faire avec les arguments justes. Claudia emporta très peu d'objets personnels et elle ne chercha pas à garder la maison. Elle se comportait comme si cet endroit était maudit et chargé de souvenirs qu'elle souhaitait oublier. La sécurité financière n'était pas un problème pour Claudia. Diplômée en marketing, elle avait réintégré le marché du travail à temps plein tout en composant avec son rôle de mère.

Vincent fut attristé de ne plus voir sa fille aussi souvent. Il regrettait de s'être confié comme Claudia l'avait souhaité. Elle devait bien se douter que l'univers de son travail n'était pas fait de douceur et de romance, mais elle n'avait apparemment pas trouvé ce qu'elle espérait. Peut-être que leur rupture avait été une bonne décision; sa femme avait besoin de tout savoir sur son mari et quelque chose dans cette vérité lui avait déplu. Il en avait tiré une leçon capitale : dorénavant, vie personnelle et professionnelle seraient deux univers distincts et il ferait attention pour ne pas les mêler.

Les jours passèrent, Vincent s'investit à fond dans son travail pour s'occuper l'esprit et fuir sa solitude. Il fut promu inspecteur. Il croyait dominer sa douleur, mais les événements qui suivirent lui prouvèrent le contraire. Peu après son divorce, la tragédie se produisit.

Vincent avait battu un pédophile, du nom d'Émilio Sanchez, dans une salle d'interrogatoire. L'effort collectif de cinq enquêteurs avait été nécessaire pour le maîtriser. Moins d'une minute s'était écoulée entre le premier et le dernier coup porté par Vincent. Ce délai avait été suffisant pour fendre l'arcade sourcilière gauche, faire éclater le nez et provoquer une luxation de la mâchoire de Sanchez.

L'affaire fut rapportée par les médias. Un porte-parole de la Sûreté du Québec avait tout fait pour minimiser la gravité de l'accident en insistant sur les états de service exemplaires de Vincent, mais des clichés qui détaillaient les blessures de la victime pendant son hospitalisation ne mentaient pas sur la gravité de l'agression.

Les crimes de Sanchez ne le rendaient pas très populaire aux yeux de la population, et Vincent bénéficia d'un grand support médiatique malgré son geste. Toutefois, la solidarité envers l'inspecteur, tant au niveau public que professionnel, ne changeait pas la nature répréhensible de son crime, et il dut répondre de ses actes. Vouloir tabasser un pédophile était une chose, mais s'en prendre directement à lui en était une autre. Comme il était inacceptable qu'un membre des forces de l'ordre se fasse justicier, Vincent fut suspendu. Ses supérieurs l'obligèrent à rencontrer un psychologue qui déterminerait à long terme s'il était apte à reprendre ses fonctions. Vincent tarda à manifester des progrès encourageants, et sa suspension s'étira pendant plus d'un an. Ses supérieurs se montraient prudents et ils ne voulaient pas le voir commettre la même erreur. Déjà, c'était un miracle qu'aucun procès ne soit intenté contre Vincent et le service de police de la SQ.

Avec le recul du temps, Vincent n'arrivait pas à comprendre ce qui s'était passé. Il avait de la difficulté à évoquer les quelques minutes précédant son geste. Ce souvenir obscur paraissait interdit à sa mémoire. Il avait plongé dans un état second, oubliant la raison pour répondre à un besoin primitif qui exigeait d'être assouvi. La suite avait été un tourbillon de violence. Il se rappelait avoir été cloué au sol par des collègues, tandis que les cris de douleur de Sanchez emplissaient la salle d'interrogatoire.

Par la suite, Vincent se retrouva encore plus éloigné de sa famille. La garde partagée lui fut retirée. Il avait toujours été un bon père, mais à cause des récents événements, son ex-femme n'en était plus convaincue. Depuis, le seul contact qu'il gardait avec sa fille se faisait par téléphone. De brèves conversations que Claudia tâchait d'écourter davantage d'une fois à l'autre. Lorsqu'il voulait prendre de ses nouvelles, elle demeurait évasive et peu explicite. Pour elle, Vincent ne faisait plus partie de sa vie et il était clair qu'elle souhaitait amener sa fille à penser la même chose.

Le temps passa. Les médias se désintéressèrent de l'affaire. Vincent continua à consulter son psychologue. Heureusement pour lui, il put compter sur Émery Rivet, directeur des services d'enquêtes criminelles. Émery était un homme influent et, connaissant personnellement Vincent, il le prit sous son aile. Sans lui, Vincent n'aurait probablement jamais réintégré la SQ.

Vincent savait qu'il était le seul à blâmer pour ce qu'il avait fait à Sanchez. Il savait aussi que ses confidences sur son travail avaient changé la perception de son épouse. Étrangement, le regard qu'elle avait posé sur lui avant de le quitter l'avait amené à penser qu'il n'était pas l'homme qu'il croyait être. Il se voyait comme une sorte de monstre et ce fut exactement ainsi que certaines personnes le décrivirent après ce qu'il avait fait à Sanchez. Il avait été effrayé par ce que sa femme avait cru voir en lui et, ironiquement, il lui avait donné raison en commettant l'irréparable.

Chapitre 8

Jeudi, 10 h 55

Vincent roulait vers l'ouest sur l'autoroute Métropolitaine. Il prit le boulevard Crémazie Est et tourna à gauche sur la rue Saint-Hubert, pour s'engager à droite sur la rue de Liège Est et s'immobiliser devant un immeuble en briques divisé en trois appartements. Il vérifia l'adresse qu'il avait griffonnée sur un bout de papier. Il avait rendez-vous à l'étage du haut.

Maryse Verne s'était rendue chez sa sœur. Ignorant les recommandations du médecin qui aurait préféré la garder sous observation pendant quelques jours, Maryse s'était empressée de quitter l'hôpital.

Vincent sortit de sa voiture avec sa mallette. Il gagna la porte du rez-de-chaussée, entra dans une cage d'escalier et gravit les marches. L'inspecteur cogna à la porte. Une femme corpulente au regard suspicieux vint lui ouvrir. Elle arborait une chevelure volumineuse et frisée qui encadrait un visage rond aux joues constellées de taches de rousseur.

— Bonjour. Êtes-vous Maryse Verne?

La femme secoua la tête dans un grand signe de négation. Elle affichait un air farouche.

– Est-ce que Maryse est là? demanda Vincent qui faisait des efforts pour se montrer le plus amical possible. Je suis l'inspecteur Auger.

Il avait l'impression de s'adresser à une enfant boudeuse. Le visage potelé de la femme se crispa et Vincent se demanda si elle n'allait pas lui fermer la porte au nez.

– Elle est dans la cuisine. Je suis Madrid, sa sœur aînée.

Elle s'écarta pour permettre à Vincent d'entrer.

– Je vais aller lui dire que vous êtes ici, dit-elle en refermant la porte. Elle est très ébranlée.

– Je comprends. Je suis ici pour aider.

Le visage sévère de Madrid se détendit légèrement. Elle ouvrit la bouche, mais n'ajouta rien avant de faire volte-face et de s'engager dans le couloir.

L'inspecteur jeta un coup d'œil au salon sur sa gauche. Le mobilier était bon marché, mais bien assorti. Le parquet était brillant comme s'il avait été verni récemment. Ce qui attira l'attention de Vincent, ce fut surtout les tableaux colorés accrochés aux murs. Les fresques dépeignaient un amalgame d'éléments abstraits, un enchevêtrement d'ambiguïtés. Tantôt, l'inspecteur crut reconnaître le visage d'un félin, mais une observation plus poussée lui fit découvrir un papillon qui déployait ses ailes dans un angle légèrement asymétrique. Le portrait voisin illustrait une cascade d'eau; à moins que ce ne fussent les cheveux d'une femme qui dissimulaient plus de la moitié de son visage. Les autres tableaux offraient le même curieux mariage de formes fusionnées aux multiples interprétations. Vincent ne connaissait pas grand-chose à l'art. Pour lui, théâtre, beaux-arts et littérature sonnaient l'ennui. Toutefois, il devait reconnaître que ces tableaux offraient suffisamment de nuances pour attirer l'attention. Il n'aurait jamais convoité une collection semblable, mais il pouvait en reconnaître l'esthétisme.

Un bruit dans le couloir le ramena au motif de sa visite. Madrid était de retour. Ses traits redevinrent crispés, figés dans une expression hagarde.

– Suivez-moi.

L'inspecteur lui emboîta le pas. Le couloir débouchait sur une petite cuisine. Maryse Verne était assise à une table circulaire, un whisky à la main. Les glaçons s'entrechoquèrent lorsqu'elle amena son verre à ses lèvres. Elle but sans grimacer.

Vincent tira une chaise pour s'asseoir de l'autre côté de la table, face à Maryse qui déposa son verre avec fracas.

– Bonjour. Je suis l'inspecteur Auger.

Il lui tendit la main par-dessus la table. Maryse attendit. Elle daigna enfin lever le bras, et Vincent fut surpris par la fermeté de sa poigne.

Svelte, visage angulaire et traits fins, Maryse ressemblait peu à sa sœur aînée. Une longue chevelure auburn et bouclée cascadait sur ses épaules. Derrière son masque de tristesse, Vincent discernait une très belle femme. Les larmes séchées sur ses joues légèrement maquillées paraissaient profondes, comme des entailles infligées par la lame du chagrin. À première vue, elle ne portait aucune marque reliée à l'incendie. Mais Vincent savait que ses blessures étaient ailleurs.

— Je sais que vous vivez une dure épreuve, mais je vais devoir vous poser quelques questions.

Les lèvres de Maryse frémirent.

— Je n'arrive pas à comprendre ce qui s'est passé, dit-elle, les yeux mi-clos, alors que de nouvelles larmes affluaient.

Elle prit un papier-mouchoir dans une boîte en carton froissé posée sur le coin de la table.

— Excusez-moi, fit-elle en se mouchant.

— Vous n'avez pas à vous excuser. Prenez votre temps.

Elle roula le papier-mouchoir en boule pour le jeter dans une corbeille sous la table. Elle s'essuya les yeux du revers de la main et plaqua un poing fermé sur sa bouche comme pour étouffer un cri de douleur. Après une grande respiration, elle déclara :

— Je ne suis pas très croyante, et pas folle, mais je vous dis que le diable est venu chez moi pour tuer mon mari et mettre le feu à ma maison.

Vincent garda le silence. À plusieurs reprises durant sa carrière il avait rencontré des victimes accablées par la perte d'un être cher. Pour eux, le meurtrier devenait l'incarnation du mal absolu. Il comprenait le sentiment de Maryse que la rage amenait à confondre le meurtrier avec une entité malveillante.

— Je ne comprends pas pourquoi ce monstre s'en est pris à nous, dit-elle en s'efforçant de maîtriser le tremblement de sa voix chevrotante.

— Racontez-moi ce qui s'est passé.

D'une voix enrouée, elle relata ce qui avait été sa dernière journée avec son mari. Elle lui raconta que leur couple s'était lancé dans un grand ménage de leur grenier. Vincent remarqua que Maryse enserrait machinalement l'alliance à son auriculaire de la même manière qu'il avait vu Clara manipuler le bracelet argenté à son poignet. Il fut surpris de retrouver ce même geste nerveux chez les deux femmes.

— On a frappé à la porte. Dès qu'Alexandre a ouvert, l'homme l'a attaqué et...

Sa voix s'étrangla. Elle dut rassembler tout son courage pour poursuivre.

— J'ai essayé de l'arrêter, mais... Tout ce que j'ai réussi à faire, ça été de sortir en rampant.

L'inspecteur comprit que la colère de Maryse n'était pas seulement dirigée contre l'assassin, mais aussi contre elle. Elle s'en voulait de ne pas avoir pu s'interposer pour empêcher la tragédie. En plus de la perte de son mari et de la destruction de sa maison, son moral était aussi miné par la culpabilité. Elle reprit :

— Je n'ai jamais vu un homme aussi violent de toute ma vie. Je me rappelle avoir été frappée. Ensuite, la peur m'a paralysée. Je n'arrivais même pas à crier.

— Vous ne connaissiez pas cet homme?

— Non, je ne l'avais jamais vu auparavant.

— Votre mari avait-il des ennemis?

— Pas que je sache, mais je ne suis pas naïve. Mon mari était policier et ce n'est pas un travail où on ne se fait que des amis. Il aurait pu choisir de me cacher certaines choses pour ne pas m'inquiéter.

Vincent acquiesça. Il posa sa mallette sur la table, l'ouvrit et prit le sac en plastique qui renfermait la chaîne qu'il avait récupérée chez Clara.

— Est-ce que vous avez déjà vu cet objet?

Elle s'approcha pour l'étudier. Son expression fut vite circonspecte.

— Je ne crois pas. Pourquoi?

— Tout juste avant de s'en prendre à votre mari, le meurtrier a reçu cette chaîne par la poste. Dès qu'il l'a vue, il a subitement quitté son domicile sans adresser un seul mot à sa femme et...

Maryse le coupa.

— Il avait une femme? demanda-t-elle, horrifiée.

— Une femme, un travail et aucun antécédent criminel.

Maryse fut consternée. Cette révélation la troublait profondément. C'était une aberration de plus dans une histoire complètement irréelle.

— Comme je vous le disais, il est parti de son domicile pour se rendre directement au vôtre commettre son crime et s'enlever la vie.

— C'est une blague? railla-t-elle.

Elle laissa échapper un rire sans joie.

— J'ai bien peur que non. Nous ne connaissons

pas encore le motif du meurtrier, mais il semblerait que cet objet ait été un élément déclencheur.

Maryse s'enferma dans un silence songeur. Vincent comprenait qu'il était facile de mettre en doute la pertinence de ce qu'il venait de rapporter, mais il devait la confronter à la vérité.

— Est-ce que vous pouvez me dire quelque chose sur cette chaîne?

Avait-elle déjà vu cet objet auparavant? Symbolisait-il une infidélité? Maryse se garda de répondre à la moindre présomption. Des larmes lui brouillèrent les yeux.

— Ce serait à vous de me le dire. C'est vous l'inspecteur. Faites votre travail.

Sa voix sèche surprit Vincent. La jeune femme lui jeta un regard accusateur. Le dévoilement de cette chaîne l'avait sérieusement désarçonnée, soulevant un tourbillon de questions qui amplifiaient sa douleur. Vincent savait qu'il n'apprendrait plus rien aujourd'hui et il décida de mettre un terme à l'entretien. Il rangea la chaîne et referma sa mallette.

— Je vous laisse.

Il glissa sa carte sur la table.

— N'hésitez pas à m'appeler si vous avez d'autres informations qui pourraient m'aider dans mon enquête.

Au moment où il se levait, Maryse déclara:

— J'aimais mon mari. Il ne méritait pas ce qui lui est arrivé.

— Je comprends. Je ferai le nécessaire pour démêler cette histoire.

Maryse ne paraissait pas convaincue. Son affliction ne la disposait pas à encourager l'optimisme de l'inspecteur. Rien ne pourrait lui ramener son mari. Elle fit toutefois une curieuse mise en garde avant que Vincent ne quitte.

– Faites attention à vous, monsieur Auger. Vous enquêtez sur le diable. Qui sait ce que vous trouverez.

Vincent préféra ne pas commenter l'ambiguïté de cette réflexion. Il se contenta de pencher la tête pour saluer Maryse, prit sa mallette et sortit de la cuisine. Il croisa Madrid dans le couloir. Elle avait probablement entendu toute leur conversation. Son visage sévère fut comme un encouragement supplémentaire à partir.

Dehors, une brise légère lui caressa le visage.

Alors qu'il déverrouillait la portière de sa voiture, son téléavertisseur retentit. Le numéro sur l'afficheur lui indiqua sa prochaine destination. Il démarra et prit la direction du Quartier général et services centraux de la SQ.

Chapitre 9

Jeudi, 13 h 10

Vincent entrait dans la morgue. Il trouva le médecin légiste Thomas Laurien qui avait pratiqué l'autopsie de Pierre Denis et d'Alexandre Verne, secondé par un technicien. Les deux hommes avaient déposé les rares objets personnels épargnés par les flammes dans des sacs en plastique avec une étiquette portant le numéro du dossier. Parmi ces objets se trouvait un portefeuille à moitié carbonisé renfermant les pièces d'identité d'Alexandre. En s'effondrant, Pierre avait emprisonné son bras gauche sous son propre corps, permettant au médecin légiste de recueillir une montre en acier inoxydable presque intacte. Un trousseau de clefs et une alliance noircis, appartenant à Alexandre, avaient aussi été récupérés. Les vêtements qui n'avaient pas complètement brûlé s'étaient soudés avec les chairs cuites, formant un relief morbide de croûte noirâtre. Le coroner avait demandé les dossiers dentaires de Pierre Denis et d'Alexandre Verne pour procéder à l'identification officielle.

Les poumons et la gorge d'Alexandre avaient conservé une couleur rosée, ce qui indiquait que la victime n'avait pas été asphyxiée par inhalation de fumée, ce qui confirmait le témoignage de Maryse qui affirmait que son mari était mort - ou du moins devenu inconscient - avant que l'incendie ne soit déclenché. Un examen plus poussé révéla une boîte crânienne défoncée par des coups répétés. Mais ce n'était pas avec un objet contondant dans ce cas-ci, puisque le sol avait été l'arme du crime. Pierre avait les poumons et la gorge noircis. Une mort par suffocation n'était pourtant pas certaine puisqu'il aurait pu succomber à ses blessures. Il avait versé de l'essence directement sur son corps, et son visage avait disparu sous un masque noirâtre de chair brûlée. Dans son cas aussi, un examen plus poussé avait conclu à d'importantes blessures au visage, au niveau des yeux, avec un objet tranchant et pointu; là encore l'automutilation décrite par Maryse se trouvait confirmée.

Lorsque Thomas eut fini d'énoncer les conclusions de l'autopsie, il entraîna Vincent à l'écart pour aborder un autre point.

– Tu te rappelles les petites boules argentées retrouvées dans la voiture?

Vincent acquiesça.

– Elles ont été envoyées au Laboratoire de médecine légale et de sciences judiciaires pour analyse, mais je les ai examinées et je suis presque certain qu'il s'agit de mercure.

– Du mercure? fit Vincent, étonné. Pourquoi? Tu vois une raison particulière?

— Je crois le savoir, étant donné que les boules ont été déposées devant les grilles du système de ventilation. Il est clair que Pierre désirait se tuer. Vois-tu, le mercure est inoffensif dans sa forme solide, mais, à l'état gazeux, il peut se révéler extrêmement nocif. Une fois dans le système d'aération de la voiture, il pénètre dans les poumons et provoque un empoisonnement du sang. Ce n'est pas la mort garantie, mais les chances sont bonnes. Toutefois, l'effet peut être long à se manifester. La mort ne survient que lentement, à long terme.

Vincent réfléchit un instant et déclara :

— Pourquoi disposer des boules de mercure si le tueur avait l'intention de s'immoler? Il n'avait pas besoin de prendre cette précaution, puisqu'il avait déjà prévu de s'enlever la vie dans l'incendie.

— C'est une bonne question. Peut-être avait-il peur de manquer de courage le moment venu. Seulement, s'il souhaitait se tuer en voiture, il aurait été plus facile de lancer son véhicule à toute allure sur un mur en béton plutôt que de compter sur les effets du mercure.

Vincent fut étonné par cette information. À nouveau, cette précaution témoignait d'une attention minutieuse qui ne cadrait pas avec la nature violente du meurtre.

— Nul besoin d'être chimiste pour connaître les effets du mercure à l'état gazeux, fit Thomas. C'est aussi un produit qu'il est facile de se procurer. Le mercure représente une précaution, un moyen de s'assurer que Pierre allait bel et bien mourir. La question est de savoir si c'est lui qui l'a déposé où nous l'avons trouvé.

Vincent songea à l'implication d'un joueur inconnu ayant des connaissances en chimie; un marionnettiste brillant qui les devançait de plusieurs coups sur l'échiquier.

Vincent le remercia et s'empressa de retrouver son bureau.

N'ayant rien mangé le matin, il s'arrêta devant une distributrice de friandises pour apaiser sa faim. Il fouilla dans ses poches à la recherche de monnaie. Il inséra les pièces nécessaires dans la machine et appuya sur un large bouton. Un bourdonnement mécanique retentit et un support hélicoïdal tourna pour libérer une tablette de Caramilk qui dégringola au bas de la machine face à une large ouverture. Vincent avala goulûment le chocolat.

Une fois à son bureau, il s'approcha de la fenêtre pour scruter la ville en contrebas. Des passants pressés arpentaient les trottoirs, alors que des voitures circulaient tranquillement d'un point d'intersection à l'autre.

Vincent songea à la chaîne et à l'enveloppe qu'il avait envoyées au Laboratoire pour analyse et relevé d'empreintes.

Une fois les empreintes digitales numérisées, elles seraient comparées à celles fichées dans le système informatique regroupant les individus ayant un casier judiciaire. Avec un peu de chance, elles permettraient à Vincent de remonter à un suspect. Dernière adresse connue, dossiers de crédit et plaque d'immatriculation étaient des informations répertoriées qui pouvaient s'avérer très utiles.

Par téléphone, Vincent contacta un enquêteur du nom d'Aaron Royer. Cinq minutes plus tard, le jeune homme frappait à la porte de son bureau. Depuis son fauteuil en cuir élimé, Vincent l'invita à s'asseoir.

Aaron était énergique et sympathique. Il avait un regard vif et intelligent. Sa mémoire était phénoménale. Avec son visage lisse et sa coupe en brosse, il paraissait encore plus jeune que ses trente-deux ans. Il était très doué en informatique et il avait récemment rempli une demande d'affectation au MCV* de la SQ. Aaron avait aidé Vincent dans ses dernières enquêtes juste avant sa suspension. Une bonne relation s'était développée entre eux. Avant de rencontrer Thomas, Vincent avait trouvé Aaron pour lui remettre le dossier sur lequel il enquêtait. Aaron n'était pas affecté au Service des enquêtes sur les crimes contre la personne, mais Vincent préférait travailler avec lui. Il s'était montré enthousiaste à l'idée de l'appuyer tout en continuant de travailler à ses propres dossiers et engagements.

– As-tu eu le temps de parcourir le dossier? demanda-t-il.

– C'est fait!

– Parfait. Il est temps de faire avancer cette enquête. Vois à obtenir les comptes bancaires

---

* MCV : Module de la cybersurveillance de la vigie

d'Alexandre et de Pierre pour vérifier si d'importants transferts n'ont pas été faits ces derniers jours. Je doute que ce soit le cas, mais on ne sait jamais. Il faut vérifier les relevés téléphoniques pour savoir...

Soudain, Manson Creek fit irruption dans le bureau. Elle adressa un sourire narquois à Vincent qui se recula dans son siège en poussant un profond soupir.

Manson était une jeune enquêtrice qui, tout comme Aaron, avait participé aux dernières affaires dont Vincent avait la charge avant sa suspension. Elle avait un grand sens de l'analyse et ses déductions étaient brillantes. Elle s'était montrée très coopérative au début de leur collaboration, mais tout avait changé le jour où Vincent avait refusé ses avances. À l'époque, Vincent ne savait pas encore que sa femme songeait à le quitter et il n'avait pas envie de mettre son mariage en péril en s'engageant dans une liaison avec une collègue. Manson était devenue froide et impersonnelle avec lui, et leur relation n'avait fait que se détériorer. Tous les coups étaient permis pour Manson; elle était allée jusqu'à s'autoriser des remarques désobligeantes sur l'épisode qui avait déshonoré Vincent, sachant qu'il n'avait plus le pouvoir hiérarchique pour la faire taire.

– Je me suis toujours demandé quelle carrière tu cherches à faire avancer: la tienne ou la sienne? dit-elle en pointant Aaron.

– Tu essaies de faire mon éducation professionnelle ou c'est une tentative de plaisanterie?

– Je te laisse choisir ce qui t'irrite le plus.

Satisfaite de sa réplique, Manson accentua son sourire.

– Aaron est ici pour me donner un coup de main, mais je ne m'attends pas à ce que tu comprennes puisque le travail d'équipe n'est pas vraiment ton point fort, rétorqua Vincent.

– Tout dépend de la personne avec qui je dois travailler.

Elle lança un regard inquisiteur à Aaron pour lui reprocher sa grande dévotion à Vincent. Son collègue battit en retraite en détournant les yeux. Visiblement, il ne voulait pas prendre pour l'un ou l'autre des deux belligérants. Aaron avait toujours été intimidé par Manson et le fait qu'il la trouvait séduisante ne l'aidait pas à lui tenir tête.

Manson mesurait environ un mètre soixante-quinze. Elle avait de longs cheveux bouclés attachés en queue de cheval, un visage angulaire et un teint hâlé. Elle était jolie, mais elle avait pris du poids récemment.

– C'est surprenant de te revoir ici avec la tête que tu as faite à Sanchez, fit-elle.

Vincent prit un stylo et griffonna des notes sur une feuille blanche. Il faisait ce geste par pure contenance pour mieux ignorer Manson.

– Qu'est-ce que tu écris?

Elle avait parlé sur un ton mielleux d'enfant capricieux.

– Je suis en train de te rédiger un programme d'entraînement physique et des suggestions de repas amaigrissants.

Manson poussa un rire moqueur. Son visage ne dénotait aucune irritation.

– J'oubliais à quel point tu es drôle. Avec un sens de l'humour pareil, je n'ai jamais compris que ta femme t'aie quitté.

– En tout cas, elle n'est pas partie à cause de toi.

Vincent releva la tête. Cette fois, la réplique avait fait mouche. Malgré son grand talent pour cacher ses émotions, Manson afficha une pointe d'irritation pendant un moment. Un changement presque imperceptible, mais tout de même décelable. Puisqu'il venait de toucher une corde sensible, Vincent savait que Manson n'en serait que plus impitoyable. Ce fut pour cette raison qu'il s'empressa d'ajouter :

– Maintenant, si tu veux bien nous laisser, nous avons du travail.

– Je pars tout de suite. Je ne voudrais pas que tu te fâches et que tu me fasses subir le même sort qu'à Sanchez.

C'était une remarque cinglante, mais Vincent avait appris depuis longtemps à ne plus s'indigner des répliques de Manson.

Sur ce, elle s'éclipsa. Aaron poussa un sifflement de soulagement.

– C'est toujours l'amour entre vous, à ce que je vois. Vous ne devriez pas la laisser vous insulter.

– Ce ne sont que des mots.

Aaron se gratta la tête.

– N'empêche que ça empire entre vous. Je n'arrive pas à comprendre pourquoi une belle femme comme Manson se comporte toujours en garce.

– Dans ce cas, elle t'apprend qu'elle n'est pas si belle. Surveille ton langage : Manson n'est pas une garce.

Aaron haussa les épaules.

– Vous ne devriez pas la défendre.

– Et nous ne devrions plus parler d'elle.

Aaron approuva. Il passa sa main dans sa courte chevelure.

– Revenons à notre affaire, dit Vincent. J'aimerais aussi que tu parcoures nos archives informatiques pour vérifier si des rituels de ce genre n'ont pas déjà eu lieu dans le passé.

– Qu'est-ce que vous entendez par rituel?

– Des cas similaires où le meurtrier se serait suicidé après son crime. Écarte tout ce qui concerne les crimes passionnels et concentre-toi sur des affaires impliquant strictement des hommes. Recule le plus loin possible et sors-moi toutes les affaires ayant une certaine parenté avec le cas qui nous occupe.

– Il y a des crimes passionnels qui se commettent entre hommes, aujourd'hui.

– Cette enquête est déjà assez particulière. Nous n'allons pas plonger dans l'extravagant.

Aaron sourit.

– Attention, ce propos pourrait être qualifié d'homophobe.

– Pas s'il ne sort pas de ce bureau.

Vincent soupira. Il se renversa dans son fauteuil, produisant un grincement qui ressemblait à un couinement de souris.

— Cette affaire risque de se compliquer avant d'être élucidée. J'ai l'impression qu'il va falloir jouer les experts en profil psychologique.

Soudain, Aaron cliqua des doigts. Il venait d'avoir une idée.

— Je connais la personne idéale pour cette affaire : David Viau.

Vincent lui lança un regard interrogateur.

— Vous ne savez pas qui c'est? fit-il avec une sincère surprise. David est un psychiatre très réputé.

— Je ne sais pas qui c'est, répliqua Vincent en haussant les épaules.

— Son nom me vient à l'esprit parce qu'il a récemment témoigné dans le procès d'un homme apparemment schizophrène. J'ai assisté à ce procès et l'expertise de David m'a vraiment impressionné. En tout cas, ce gars semble réellement savoir de quoi il parle lorsque quelque chose ne tourne pas rond dans la tête de quelqu'un.

— Plusieurs de nos collègues ont des diplômes en psychologie. Nous avons déjà tout ce qu'il nous faut ici en matière d'experts.

— Je sais, mais David est en haut de la pyramide des compétences. Il travaille avec des patients dangereux à l'Institut Philippe-Pinel. Il aurait probablement une analyse pertinente à nous proposer sur notre affaire sordide.

Vincent n'en était pas convaincu. Il s'efforça néanmoins de ne pas afficher son scepticisme pour ne pas vexer Aaron. Il allait balayer cette idée saugrenue lorsqu'il se donna finalement la peine de la considérer. Si l'enquête venait à tourner en rond, peut-être qu'un entretien avec ce David Viau pourrait s'avérer utile. Il n'avait rien à perdre en sollicitant un expert.

— Nous verrons, dit finalement Vincent. Tu dis qu'il travaille à l'Institut Philippe-Pinel?

— Oui. Il paraît qu'il fait des miracles.

Vincent poussa un soupir amusé.

— Les personnes avec des problèmes psychiatriques ne doivent pas toujours être des patients modèles. Quand les choses tournent mal, j'espère que ce David court plus vite qu'eux.

Aaron éclata de rire. Vincent le dévisagea avec circonspection et son regard dubitatif ne fit qu'accroître l'amusement du jeune homme.

— Vous ne savez vraiment pas qui est David Viau? questionna-t-il.

— Non, pourquoi? Qu'est-ce que j'ai dit de si drôle?

— Sérieusement, vous ne pouvez pas faire ce genre de blague sans savoir qui est David.

— Je te dis que non, fit Vincent avec un brin d'impatience. Je ne faisais pas de blague. Qu'est-ce qu'il y a?

Aaron leva une main pour inviter Vincent à se calmer.

— Ne vous fâchez pas. C'est seulement que David ne peut vraiment se sauver de personne. Il est paraplégique.

Chapitre 10

Jeudi, 14 h 52

Après sa discussion avec Clara, Vincent avait décidé de faire une visite au Centre Mariebourg situé sur le boulevard Gouin. Il se rappelait l'angoisse de Clara lorsqu'elle avait évoqué cet endroit. Pierre cachait de vieux démons, et Vincent avait espoir de les mettre au jour en se rendant au Centre.

Au téléphone, il avait réussi à obtenir un rendez-vous avec le directeur général, Francis Holand, qui s'était d'abord montré réticent, mais qui avait fini par céder.

Vincent fut accueilli à l'entrée par un bénévole, Timothy Belvalle. C'était un homme dans la cinquantaine au ventre proéminent. Il portait une chemise rétro et un jean.

Timothy le conduisit au bureau du directeur général. Le bénévole débita une quantité impressionnante d'informations sur le Centre en très peu de temps. Après les heures de classe, ils étaient une dizaine d'éducateurs et une quarantaine de bénévoles pour accueillir des élèves âgés entre six et douze ans qui provenaient de différentes écoles. Les élèves recevaient de l'aide pour faire leurs travaux et ils participaient à différentes activités qui favorisaient l'esprit d'équipe, l'estime de soi et l'autonomie.

Vincent apprécia l'affabilité de Timothy. L'homme paraissait très impliqué et il relata avec fierté la baisse de la violence chez les enfants agités qui fréquentaient le Centre. Il continua à discourir jusqu'au bureau du directeur général. Timothy cogna à la porte, salua Vincent et s'esquiva comme s'il venait d'enclencher les rouages d'une confrontation à laquelle il ne désirait pas assister. Il disparut au coin du couloir alors qu'une voix sourdait derrière la porte, invitant l'inspecteur à entrer.

Vincent s'engouffra dans une pièce exiguë et en désordre. Des boîtes de carton étaient empilées dans un coin. Sur le mur à sa gauche, Vincent remarqua que des cadres avaient été récemment décrochés: des empreintes rectangulaires plus foncées se détachaient du bleu du mur. Debout derrière son bureau, le directeur général observait Vincent avec un petit sourire.

C'était un homme dans la quarantaine. Élancé, il avait un menton saillant, des joues creuses et un petit nez. Son visage émacié était tout en angles. Chétif, il paraissait flotter dans sa chemise blanche et son pantalon de flanelle noir. Il portait une longue cravate de soie. En fixant l'inspecteur, Francis se fabriqua un masque de courtoisie, mais il était transparent, filtrant la vanité et la condescendance.

Vincent s'avança. Les deux hommes échangèrent une poignée de main par-dessus le bureau. Trop molle au goût de Vincent.

– Je suis l'inspecteur Auger. Merci de me recevoir.

– Si je peux vous être utile...

Dès qu'il ouvrit la bouche, Francis déplut à Vincent. Sa voix manifestait de l'ennui, comme si la présence de Vincent bousculait son emploi du temps chargé. Ses manières délicates, presque efféminées, trahissaient un être prétentieux et perfectionniste jusqu'à la manie.

Les deux hommes s'assirent dans des chaises situées à l'opposé du bureau. Le siège du directeur général était surélevé par rapport à celui de l'inspecteur.

– Je ne prendrai pas beaucoup de votre temps. L'homme qui m'attendait à l'entrée a fait un tour d'horizon plutôt élogieux de l'engagement de votre Centre. On peut dire que vous faites beaucoup pour la communauté.

Francis inclina légèrement la tête de biais, comme s'il s'attribuait personnellement le compliment.

– L'écoute active est ce qui manque le plus aux jeunes et nous nous efforçons de leur en donner ici. C'est d'ailleurs notre Centre qui a inauguré le programme Vers le Pacifique en 1993. Au Québec seulement, le programme a été adopté par plus de cinq cents écoles, et son succès est si grand que nous l'avons exporté dans d'autres pays comme la France et le Pérou.

– J'imagine que la direction de ce centre requiert tout votre temps?

– Hélas, non. J'investis beaucoup de temps ici, mais j'ai aussi un emploi.

– Quel est votre métier?

– Je suis chercheur.

Francis n'ajouta rien et Vincent n'insista pas. Le directeur général lissa sa cravate. Il y avait quelque chose d'ostentatoire dans son geste, comme si Francis se prenait pour un aristocrate désabusé.

– En quelle année le Centre a-t-il été fondé?

– Je dirais qu'il existe depuis environ vingt-cinq ans. J'ai commencé à occuper les fonctions de directeur général il y a déjà plus de dix ans, mais je participe depuis une quinzaine d'années aux activités du Centre.

– Dans ce cas, vous allez peut-être pouvoir m'aider. Je mène une enquête sur un homme qui aurait justement fréquenté votre Centre il y a dix ans.

– Vous sollicitez nos vieilles archives, fit remarquer Francis.

– J'en suis conscient, mais, puisque vous étiez peut-être directeur général à cette époque, est-ce que le nom de Pierre Denis vous dit quelque chose?

Francis leva les yeux. Il fit un effort pour réfléchir, prenant bien son temps avant de répondre, comme pour se donner une position de force.

— J'ai vu dans un bulletin d'informations à la télévision hier soir qu'un homme du nom de Pierre Denis avait été impliqué dans une histoire de meurtre abominable. Je n'ai pas fait le rapprochement au début, mais son visage m'est revenu par la suite.

— Donc vous le connaissiez?

— Oui. Je n'ai pas arrêté de penser à lui au cours des dernières heures.

Francis adopta une expression grave et soucieuse.

— Que pouvez-vous me dire à son sujet?

— Je me souviens de lui parce qu'il était très différent des autres. C'était un élève troublé et agressif qui rejetait toute forme d'encadrement pédagogique. Je me souviens qu'il faisait la vie dure à ses professeurs à l'école. Pierre avait beaucoup de difficulté à se concentrer en classe et il s'énervait dès qu'on cherchait à l'aider.

Vincent réalisa qu'il présentait lui-même un profil semblable lorsqu'il était jeune. Il aurait cru entendre l'un de ses anciens parents adoptifs.

— Que lui est-il arrivé?

— Je ne sais pas. Un jour, il a cessé subitement de venir au Centre. Ses parents l'ont peut-être dirigé vers des spécialistes. Son cas exigeait davantage de rigueur.

— De quel genre?

— Une aide psychiatrique.

— Votre Centre n'en offre pas?

— Nous pouvons référer les parents ayant de graves problèmes avec leur enfant à des spécialistes. Je crois d'ailleurs que Pierre a été l'un des premiers à bénéficier de ce type de service offert par notre Centre. Mais son cas était très sérieux.

– Bien que ce soit honorable, je trouve étrange que votre Centre vienne en aide à des jeunes de six à douze ans avec d'importants problèmes psychologiques. Je veux dire, un jeune qui a de tels problèmes doit inquiéter son entourage bien avant d'atterrir dans un endroit comme ici.

Francis adopta une expression hautaine, comme un adulte amusé par des réflexions puériles.

– Vous seriez étonné de la variété de cas qui arrivent ici. Beaucoup de gens et de parents ferment les yeux pour ne pas avoir à faire face aux difficultés de leurs enfants. Il est plus facile de croire qu'un problème n'est pas si grave, qu'il finira par se régler tout seul ou, mieux encore, que les autres le feront pour eux. Notre Centre ne ferme les yeux sur rien et c'est pour cette raison que nous nous engageons à intervenir même dans les situations sérieuses.

L'inspecteur approuva, mais, curieusement, il avait de la difficulté à imaginer Francis faisant preuve d'empathie et débordant de bonnes intentions.

À cet instant, on frappa à la porte.

– Entrez, fit Francis d'une voix pontifiante.

La porte s'ouvrit. Un homme râblé et chauve se tenait dans l'embrasure.

— Qu'est-ce qu'il y a, Jacques? demanda Francis sur un ton officiel de premier ministre.

— Excusez-moi de vous déranger, fit l'homme d'une voix atone. David Viau a appelé lorsque vous êtes sorti tout à l'heure. Il a demandé que vous le rappeliez dès que possible.

— Très bien. Merci.

Jacques fit un signe de la tête et disparut en claquant la porte.

L'inspecteur fronça les sourcils. Le nom qu'il venait d'entendre évoquait un souvenir vague. Il réfléchit et, au moment où il allait cesser d'y penser, le déclic se fit dans son esprit.

— David Viau, c'est un psychiatre, n'est-ce pas?

Francis dévisagea l'inspecteur avec méfiance, comme s'il ne comprenait pas le but de sa question.

— En effet. J'imagine que vous le connaissez de réputation?

— Pas vraiment. Un collègue m'a récemment parlé de lui. Il me conseillait justement de le rencontrer pour approfondir certaines questions.

— Pourquoi? Vous avez des problèmes?

Les lèvres de Francis formèrent un sourire narquois. Vincent poussa un rire forcé, non pas par politesse, mais pour lui faire comprendre que ses sarcasmes ne l'impressionnaient pas.

— On ne m'a pas suggéré de le rencontrer pour des besoins personnels. L'enquête que je mène est particulière, et mon collègue croit que l'expertise de David pourrait nous aider à saisir les motivations du meurtrier.

— Il est certain que David cumule une grande

expérience dans le domaine psychiatrique, trancha Francis sur un ton blasé.

– Plutôt ironique. David Viau m'était inconnu jusqu'à maintenant et voilà que deux personnes différentes me parlent de lui en moins de vingt-quatre heures.

L'idée paraissait saugrenue à Vincent quelques heures plus tôt, mais un concours de circonstances l'amenait maintenant à considérer le potentiel d'une rencontre avec David Viau. Francis semblait connaître personnellement le psychiatre et Vincent eût été fou de ne pas en profiter. De plus, il aimait l'idée perverse que sa requête puisse agacer le directeur général.

– Vous pourriez peut-être m'aider à le rencontrer, proposa l'inspecteur.

Francis arbora une expression neutre. Vincent songea qu'il devait maudire l'irruption de Jacques. Le seul fait de devoir répondre paraissait l'irriter.

– David est un homme très occupé. Je crains qu'il ne soit pas aussi disponible que moi et que son horaire ne lui permette pas de vous recevoir.

Il était clair que Francis n'avait pas envie d'agréer à cette requête. Ce qui encouragea Vincent.

– Pourquoi ne pas le lui demander, puisque vous devez le rappeler? Dites-lui que c'est important et que son aide pourrait s'avérer très utile pour faire avancer une enquête complexe.

Le directeur général prit une profonde inspiration. Vincent se délecta de sa contrariété.

– Monsieur Auger, fit-il sur un ton impérieux, je sympathise avec le travail que vous faites, mais

David Viau ne peut pas répondre à toutes les requêtes qui lui sont adressées.

— J'enquête sur l'un des crimes les plus violents survenus dans l'histoire de cette province. Ma demande est plus que légitime, surtout si David est à la hauteur de sa réputation.

Francis garda le silence. Il semblait organiser une stratégie, préparer une riposte. D'un ton calme, il déclara :

— Permettez-moi d'abord de vous dire qui est David Viau pour que vous puissiez mieux saisir l'ensemble de ses obligations. Comme vous le savez peut-être, David traite des patients dangereux à l'Institut Philippe-Pinel et il a témoigné comme expert dans plusieurs procès. Mais ce n'est pas tout. David est aussi psychiatre consultant à la clinique communautaire et au service des soins palliatifs à l'Hôpital Royal Victoria. Il a écrit plusieurs articles scientifiques sur les maladies mentales et il préside le conseil d'administration de l'Institut de réadaptation de Montréal.

Francis marqua un silence. Il s'était laissé enflammer par son discours.

— Voilà qui est David Viau, conclut-il en retrouvant sa voix d'homme blasé. Comme vous pouvez le deviner, son titre d'expert est on ne peut plus mérité.

En détaillant la renommée du psychiatre, Francis paraissait la faire sienne. Ce petit jeu de pouvoir illusoire commençait sérieusement à irriter

Vincent, mais il était prêt à faire encore un effort si Francis lui accordait sa requête.

– Les succès de David m'incitent davantage à le rencontrer, dit-il.

Francis se mordit la lèvre inférieure. Vincent crut qu'il allait refuser pour le simple plaisir de lui déplaire. Mais, contre toute attente, le directeur général déclara :

– Je ne vous promets rien, mais je vais voir ce que je peux faire.

Son ton las cherchait à ne pas donner d'importance à la requête. Pourtant, Vincent avait la conviction que le directeur n'allait pas se dérober à son engagement.

– Merci! Revenons à Pierre Denis si vous le voulez bien. Pouvez-vous me dire autre chose sur lui?

– Je crois vous avoir tout dit. Il a fréquenté le Centre pendant un certain temps puis, soudainement, il a cessé ses visites et nous ne l'avons plus jamais revu. Il a peut-être rencontré un psychologue référé par le Centre à cette époque, mais je n'en suis pas certain.

– Je crois que ça ira. Je vous remercie pour votre temps.

Vincent sortit sa carte et la remit à Francis.

– J'attends vos nouvelles pour connaître les disponibilités de David Viau. Vous pouvez me rejoindre en tout temps. N'hésitez pas à me contacter si vous vous rappelez autre chose.

Francis inclina la tête et sourit à l'inspecteur. Il se montrait avenant pour la première fois et Vincent attribua son enthousiasme à la conclusion de l'entretien. Vincent se leva et sortit; Francis ne bougea pas de son siège.

L'inspecteur parcourut en sens inverse le chemin qu'il avait emprunté un peu plus tôt avec Timothy. En se rapprochant de la sortie, il croisa le concierge. L'homme affichait un air renfrogné, morose. Il tenait un vaporisateur d'une main et un balai de l'autre. Après que le concierge l'eut dépassé, Vincent songea à Francis et plus précisément à son bureau. Un détail lui revint à l'esprit. Il tourna les talons et rebroussa chemin.

— Excusez-moi, fit-il.

Le concierge s'immobilisa et se retourna tranquillement comme si ce mouvement exigeait de grands efforts.

C'était un petit homme austère d'une soixantaine d'années à la calvitie prononcée. Vincent n'avait aucune difficulté à l'imaginer maugréer la moitié du temps.

— Pardonnez-moi. Vous êtes le concierge de cet immeuble?

— Vous êtes perspicace! lança l'autre en brandissant son vaporisateur et son balai sous les yeux de l'inspecteur.

— Il le faut bien puisque je travaille à la SQ.

Le concierge observa son interlocuteur d'un air suspicieux. Vincent n'en était pas certain, mais il crut déceler de fins effluves d'alcool.

— Qu'est-ce que je peux faire pour vous?

Le visage hagard du concierge fut remplacé par une expression désinvolte. Il adoptait une approche plus sympathique, jouant de prudence plutôt que de chercher la confrontation.

– Ne vous en faites pas, fit Vincent, rassurant. Je n'ai pas l'intention de vous faire des ennuis. À moins que vous ayez des aveux à me faire?

Le concierge tiqua. Vincent était persuadé que cet homme, avec ses yeux injectés de sang, avait un verre dans le nez, mais il ne comptait pas en faire mention. Il s'empressa de poursuivre, pour ne pas rendre le concierge encore plus nerveux :

– Votre directeur général m'a dit beaucoup de bien de ce Centre. Il a beaucoup d'estime pour les éducateurs et les bénévoles qui travaillent ici.

Ne sachant quoi répondre, le concierge acquiesça sans grande conviction.

– Francis me semble un homme très dévoué. Ce n'est sûrement pas facile de passer beaucoup d'heures ici en plus d'exercer son métier.

Le concierge conserva un air interdit, ne comprenant pas où l'inspecteur voulait en venir.

– Lorsque je me trouvais dans le bureau de Francis, j'ai remarqué que des cadres avaient été retirés du mur. Cela a piqué ma curiosité. Je me demandais si votre directeur général comptait changer de bureau ou si votre Centre allait être relocalisé.

Le concierge haussa les épaules.

– Il n'y a pas de déménagement prévu et je n'ai pas entendu dire que Francis allait changer de bureau. Il ne m'a pas parlé de repeindre les murs non plus.

– D'accord. J'imagine qu'il souhaite réaménager son espace de travail. J'étais seulement curieux. Cet homme m'apparaissait si ordonné que j'avais de la difficulté à l'imaginer travaillant dans un bureau en désordre.

Le concierge ouvrit de grands yeux et son regard s'anima.

— Ça me surprend qu'il ait enlevé ses cadres. Il a probablement voulu les nettoyer lui-même. Francis est très fier de ses diplômes. J'ai l'impression qu'il n'est jamais satisfait de mon travail. Surtout lorsqu'il s'agit de faire briller les cadres de monsieur!

Le concierge se rembrunit. Un film d'accusations paraissait se dérouler dans sa tête. L'inspecteur acquiesça en faisant attention de ne pas encourager le concierge à élaborer sur ses rancunes. Il ne voulait qu'une information bien précise; un détail qui lui avait échappé dans le bureau de Francis.

— S'agit-il de diplômes d'études?

— C'est ça.

— Vous pouvez me dire sa profession? J'ai oublié de le lui demander.

Le concierge poussa un soupir d'exaspération. Il était clair qu'il aurait déjà mis un terme à cette conversation si Vincent n'avait pas mentionné être membre de la SQ.

— Francis est...

Le concierge se gratta la tête. Il leva les yeux et regarda au plafond comme si la réponse s'y trouvait. La lumière du soleil, filtrée par de larges fenêtres dans le couloir, soulignait son visage sec.

– C'est bête... je ne me rappelle pas exactement...

Le concierge, d'abord contrarié par toutes ces questions, était de plus en plus de mauvaise humeur alors que le mot continuait de lui échapper. Vincent n'était plus convaincu d'obtenir quoi que ce soit de lui. Il allait le remercier et partir lorsque le concierge déclara :

– Il est chimiste, c'est ça. Francis est chimiste.

Cette information eut l'effet d'un coup de poing. L'image des boules de mercure s'imposa à l'esprit de Vincent.

Devant la perplexité de l'inspecteur, le concierge perdit rapidement son enthousiasme. Il redevint méfiant.

– Pourquoi vous me demandez ça à moi plutôt qu'à lui? Est-ce que Francis a des problèmes?

– Absolument pas. Au contraire, je viens de lui parler et il m'a été d'une aide précieuse pour une affaire sur laquelle j'enquête. Je tenais à connaître sa profession par pure formalité. Merci pour votre temps.

Sur ce, Vincent tourna les talons. Il entendit le concierge maugréer dans son dos.

Dehors, des nuages pommelés défilaient dans le ciel. Le soleil distillait une chaleur agréable.

L'inspecteur regagna sa voiture, croisant quelques enfants qui venaient d'arriver par autobus. Il démarra et regagna la circulation.

Il repensa aux cadres décrochés dans le bureau du directeur général. Dans quel but avaient-ils été retirés récemment? Ces raisons étaient-elles sans importance – comme pour faire du rangement – ou était-ce pour cacher sa profession à Vincent? Il semblait pourtant difficile de rattacher Francis à son enquête puisque Pierre avait fréquenté le centre dix ans plus tôt. Que le directeur soit chimiste n'était peut-être qu'une simple coïncidence. Mais, dans ce cas, pourquoi cacher ses diplômes? Francis ne lui avait peut-être pas tout dit. Vincent comptait bien vérifier ce qui, outre le Centre Mariebourg, pouvait unir Pierre et Francis.

Chapitre 11

Vincent rentra chez lui vers 17 h 25.

Il aurait été facile de laisser sa nouvelle enquête occuper tout son temps, mais il n'était pas question de remettre le rendez-vous prévu pour ce soir. Il prit sa douche et s'habilla, enfilant une chemise blanche et un costume bleu sombre. Il finit de se préparer dans la salle de bain.

On frappa à la porte à 18 h 20. Elle était en avance de dix minutes. Vincent s'empressa d'aller répondre. Un frémissement courait dans ses doigts lorsqu'il tourna la poignée. Sur le seuil de la porte, Jennifer Manning lui adressa un large sourire.

Elle avait les cheveux brun foncé, les yeux en amande et un visage de porcelaine. Sa bouche était fine et sensuelle, ses pommettes, douces, et sa voix, veloutée. Elle portait une élégante robe noire. Une chaîne à son cou chatoyait sous la lumière.

Jennifer ressemblait à l'actrice américaine Sarah Clarke qui incarnait le personnage de Nina Myers dans la populaire série télévisée 24. C'était une ressemblance qui ne déplaisait pas à Vincent. Jennifer était amusée d'être comparée à une femme fatale et elle jouait le jeu, appelant parfois son amoureux Jack pour faire référence au personnage principal de la série incarné par Kiefer Sutherland, et ce, bien que Vincent ne ressemblât pas physiquement à l'acteur.

Vincent avait rencontré Jennifer durant sa suspension. Auparavant, elle travaillait à l'hôpital St. Michael à Toronto. À trente et un ans, sans amoureux ni enfant, le goût du changement l'avait motivée à emménager à Montréal. Comme sa mère était francophone, la jeune femme parlait un français parfait. Jennifer avait trouvé du travail à l'hôpital Maisonneuve-Rosemont, situé sur le boulevard de l'Assomption. Elle avait rencontré Vincent peu de temps après sans savoir qu'il traversait une période difficile. Leur complicité avait été immédiate et ils n'avaient pas tardé à se fréquenter intimement. D'abord, Vincent n'avait pas fait mention des événements vécus avec Émilio Sanchez pour ne pas effrayer Jennifer. Il s'était attaché à elle et il craignait sa réaction. De plus, il avait besoin d'une personne qui poserait un regard neuf et sans jugement sur lui. Il avait prétendu avoir pris une année sabbatique, et Jennifer n'avait jamais su la vérité par les médias qui s'étaient désintéressés de l'affaire.

Mais taire cette histoire était aussi difficile que de la raconter. Vincent n'arrivait pas toujours à cacher son amertume, et Jennifer attribuait cela à son récent divorce. Cette distance avait empiré et elle avait eu raison de leur relation. Il y avait trop de silences entre eux, et Vincent refusait d'aborder certains sujets préoccupants malgré la bonne volonté de Jennifer qui ne demandait qu'à percer cette carapace. Un mois après leur rupture, Vincent lui téléphonait pour organiser une rencontre. Il comptait revenir sur ses nombreux silences en avouant toute la vérité. Il avait fait mention de ce qui s'était passé avec Sanchez peu de temps après son divorce. Il avait parlé de sa suspension et de ses discussions avec un psychologue. Curieusement, le fait que lui et Jennifer ne partageaient plus la même intimité avait amené Vincent à parler sans retenue. Il lui avait expliqué qu'il s'était montré distant et avait fui certains sujets au début de leur relation pour éviter de répéter les mêmes erreurs qui lui avaient coûté son mariage. Vincent s'était senti libéré lorsqu'il avait terminé son récit; maintenant que Jennifer savait la vérité, il avait l'impression qu'elle le quittait pour une bonne raison.

Le lendemain de leur rencontre, quelque chose de merveilleux s'était produit: Jennifer l'avait rappelé pour fixer un prochain rendez-vous. Elle avait été, aussi, claire sur ses intentions, n'étant pas prête à revenir à la même intimité qu'ils partageaient autrefois. Mais elle n'excluait pas cette possibilité. Vincent en avait été ravi et il était prêt à donner à Jennifer tout le temps nécessaire. Ce deuxième rendez-vous était prévu pour ce soir et c'était pour cette raison qu'il était hors de question pour Vincent de se désister.

– Bonsoir! fit-elle. Est-ce que l'agent spécial Jack Bauer est de service, ce soir?

– Il l'était, mais vous avez maintenant priorité.

À cause de vous, la sécurité nationale est peut-être compromise.

– C'est ce qui arrive lorsqu'on sort avec l'ennemi.

Les lèvres de Vincent dessinèrent un large sourire.

– Tu es ravissante.

– Merci!

– Alors, prête pour l'aventure?

– Je croyais que nous n'avions qu'un souper de prévu pour ce soir?

– C'est exact, mais, avec Jack Bauer, tout peut arriver. Du moins dans les prochaines vingt-quatre heures.

Vincent recula pour permettre à Jennifer d'entrer. Il l'embrassa sur les joues. Les effluves suaves de son parfum étaient envoûtants.

– J'en ai encore pour cinq minutes, fit Vincent.

– Tu n'es pas encore prêt?

– Je viens tout juste de mettre ma maîtresse à la porte. Alors, tu comprends que je suis un peu à court de temps! lança-t-il à la blague.

– C'est donc elle, la fille que j'ai vue sortir en courant, répliqua-t-elle en jouant le jeu. Elle avait l'air pressé.

– Elle avait peur de te croiser.

– Je crois plutôt que c'est parce qu'elle avait ton portefeuille. Tu devrais vérifier dans tes affaires pour voir s'il est encore là.

Vincent éclata de rire. Sur ce, il retourna dans le couloir et s'enferma dans la salle de bain. Jennifer passa au salon pour attendre.

Si la croyance veut que les hommes célibataires soient désordonnés, Vincent faisait exception à la règle. Dans le salon, les meubles en acajou laqué étaient impeccables. Des coussins reposaient avec goût sur un long divan de couleur châtaigne. Au centre du salon, une large télévision se dressait au milieu d'immenses haut-parleurs.

Jennifer s'attarda sur les photos encadrées et accrochées au mur. La première image montrait Vincent lorsqu'il avait été champion marqueur dans son équipe de hockey junior. D'autres photos le présentaient avec des collègues de travail. Une autre avait été prise le jour de son mariage. Ses déboires avec son épouse n'avaient pas motivé Vincent à l'écarter. Il jugeait avoir vécu suffisamment de moments heureux avec Claudia pour ne pas s'en défaire. Jennifer n'avait pas cherché à remettre en question cette philosophie, mais elle n'avait pu s'empêcher de ressentir un certain inconfort les jours où elle s'était blottie contre Vincent sur le divan du salon, alors que Claudia lui renvoyait un sourire radieux depuis les cadres qui la surplombaient.

Vincent réapparut. Il était très élégant dans son costume. Il avait ajouté à sa tenue une cravate Hermès.

– Je commence à penser que tu m'as fait attendre dans le seul but de te faire désirer, lança-t-elle sur un ton ingénu.

– C'est pour développer ta patience.

– Parce que je n'en ai pas suffisamment? Essaies-tu de me vexer?

– Naturellement! Je suis toujours plus engagé si j'ai quelque chose à me faire pardonner.

Elle sourit.

Ils prirent la voiture de Jennifer. Trente minutes plus tard, ils arrivèrent à un nouveau restaurant nommé Exquis sur la rue Sherbrooke Ouest.

Une fois à table, ils consultèrent le menu. Vincent commanda un friand au jambon et une bouteille de vin rouge. Jennifer opta pour une assiette de gnocchis. Une fois que le serveur eut pris leur commande, ils se lancèrent dans une discussion animée. Étrangement, il n'y avait pas beaucoup de clients dans le petit établissement récemment ouvert. Un couple de personnes âgées occupait une table de biais à la leur. L'homme était peu loquace et coupait son steak d'un air grincheux pendant que son épouse discourait inlassablement en gesticulant des bras.

Jennifer parla de son travail à l'hôpital. À son tour, Vincent lui dit fièrement qu'une importante enquête lui avait été confiée. Elle l'en félicita.

Le serveur apporta leur assiette. Affamé, Vincent attaqua goulûment son repas tandis que Jennifer dégustait son plat avec une finesse presque aristocratique. Ils continuèrent à discuter de différents sujets tout en mangeant. Vincent commanda une deuxième bouteille de vin.

Légèrement grisé par l'alcool, et avant même qu'il n'en prenne conscience, Vincent aborda de nouveau les périodes sombres de son passé.

– Je ne comprends pas pourquoi Émery m'a choisi pour cette affaire. Après ce qui s'est passé avec Sanchez, j'étais certain de ne plus jamais pouvoir travailler sur une enquête d'une telle importance.

– Tu ne devrais pas remettre en question la confiance que les gens ont envers toi, mais faire en sorte de leur donner raison.

– Tu sais, lorsque j'ai été suspendu, tout le monde m'a donné son appui, sauf les gens qui avaient le pouvoir de briser ma carrière.

– Ce n'est pourtant pas ce qui s'est produit.

Vincent approuva, mais il ne paraissait pas convaincu.

– Heureusement qu'Émery était là, ajouta-t-il.

Il fut soudain tendu.

– Je ne t'ai pas tout dit lorsque nous nous sommes revus la semaine dernière.

– Tu n'es pas dans l'obligation de tout me dire. Mais si tu y tiens, commence par aborder les chapitres de cette histoire qui sont le moins douloureux pour toi et le reste suivra.

– Je préfère en finir. Je veux que tu saches toute la vérité pour que tu n'aies pas à te poser de questions.

Elle acquiesça, invitant Vincent à poursuivre si c'était ce qu'il souhaitait.

– C'est moi qui avais fait appréhender le pédophile Émilio Sanchez. À cette époque, j'étais inspecteur dans l'Équipe intégrée en matière de pornographie juvénile. Bref, en détention, Sanchez se montrait borné et refusait de coopérer. Personne n'était parvenu à lui arracher le moindre aveu. Toutefois, ça n'a pas été nécessaire puisque nous avions regroupé suffisamment de preuves pour l'incriminer. Des examens médicaux prouvèrent que sa fille avait subi des abus sexuels. De plus, après avoir perquisitionné son domicile et saisi son ordinateur, nous avons trouvé des photos compromettantes qui dévoilaient son attirance perverse pour les enfants. Chose surprenante, avant son procès, Sanchez a finalement décidé de passer aux aveux. Il disait que nous ignorions encore beaucoup de choses sur lui. Seulement, il ne voulait parler qu'à un officier supérieur. Comme j'avais dirigé l'opération, j'ai accepté. J'étais persuadé qu'il jouait la comédie et qu'il n'était pas réellement intéressé à se confesser.

Vincent secoua la tête.

– Excuse-moi, ce sont des choses horribles à raconter. Je ne devrais pas te...

Jennifer l'interrompit.

– Ça va. Je t'en prie, continue.

La lèvre inférieure de Vincent trembla furtivement. Jennifer garda le silence, affichant une expression conciliante. Elle était disposée à écouter n'importe quelle confidence et elle désirait que Vincent puisse le ressentir. Après une longue hésitation, Vincent reprit :

– Sanchez savait que nous détenions suffisamment de preuves pour l'inculper. Qu'il se confesse ou non ne changeait plus rien. J'ai compris plus tard que ce salaud avait voulu me parler pour une toute autre raison. Ce n'était pas le remords qui l'avait motivé, mais la fierté. J'ai vu dans ses yeux le plaisir qu'il tirait en partageant sa perversion. Il cherchait un confident pour raconter ses secrets.

En écoutant Sanchez, Vincent voyait son inconfort se muer en torture. Il avait l'impression d'étouffer comme si chaque parole de Sanchez corrompait l'air qu'il respirait. Sa confession avait eu l'effet d'une agression et, bien vite, Vincent avait dû se défendre et mettre un terme à ce récit immonde.

— J'étais complètement hors de contrôle lorsque je lui suis tombé dessus.

Vincent fut ébranlé par de troublants souvenirs. Il se revoyait enjamber la table pour attraper Sanchez. Le visage du pédophile se déformait sous la cadence des coups.

— Tu dois savoir que Sanchez avait une fille unique. Elle avait cinq ans lorsqu'il a abusé d'elle pour la première fois. Ça s'est poursuivi pendant quatre ans et il aurait probablement continué si nous ne l'avions pas arrêté. Il a fallu que sa fille soit conduite à l'hôpital pour des saignements vaginaux et qu'un médecin nous contacte pour que nous intervenions.

Jennifer grimaça.

— Mais ce n'est pas le pire. La femme de Sanchez était au courant. Elle a refusé de collaborer à l'enquête et elle n'a jamais voulu témoigner contre son mari. Elle n'a pas cessé de le défendre, prétendant qu'il était un bon père de famille. Pourtant, nous avions des preuves physiques indiscutables confirmant que Sanchez avait abusé de sa fille.

Vincent but une gorgée de vin. Il serra sa coupe jusqu'à s'en blanchir les jointures.

– Avant ce jour regrettable où j'ai perdu le contrôle, j'avais su garder mon calme. Ce n'était pas facile. J'ai aussi une fille, mais je suis parvenu à ne pas en faire une affaire personnelle. Du moins, j'ai réussi pour mieux échouer lorsque Sanchez est passé aux aveux.

Vincent se rappelait les premiers mots que le pédophile lui avait dits: «Avez-vous des enfants? Les nôtres sont toujours les plus beaux!»

Il frissonna.

– Ma femme m'a quitté parce qu'elle supportait mal l'idée que le père de sa fille soit en contact avec des hommes comme Sanchez. Au-delà de tout ce qu'elle a voulu me faire croire, je sais qu'elle est partie pour cette raison. La femme de Sanchez ne l'a pas quitté et elle n'a jamais cessé de le défendre.

Vincent but le reste de sa coupe de vin d'un trait. Ses joues s'empourprèrent, prenant la teinte de sa colère.

– Ce n'était pas juste, tu comprends.

Vincent avait fait attention de ne pas élever le ton, mais sa voix était devenue chevrotante. L'alcool, mêlé à son désir d'en finir avec cette histoire, l'avait poussé à se confier sans aucune réserve.

Jennifer avait le cœur serré. Elle n'avait jamais vu Vincent aussi bouleversé. Il ne s'était pas montré aussi explicite lorsqu'il avait abordé cette histoire la semaine dernière. Aujourd'hui, elle comprenait toute l'ampleur de sa douleur. Vincent eut probablement conscience de sa vulnérabilité puisque son expression changea. Il craignait d'avoir déçu Jennifer pour la simple raison qu'il avait été lui-même accablé d'avoir provoqué ces événements. Son visage se durcit et, pendant un instant, il eut honte de ce qu'il avait raconté. Elle voulut le rassurer.

– Je ne sais pas si ta femme t'a quitté parce que tu mettais des hommes comme Sanchez en prison, mais, si c'est le cas, elle a fait une terrible erreur.

– C'est étrange, mais j'ai l'impression de chasser les personnes que j'aime chaque fois que je veux faire ce qui est juste.

– Je suis encore là.

Vincent sourit.

– Peut-être, mais... excuse-moi, j'ai l'impression de gâcher notre souper. Pas très romantique, n'est-ce pas?

– Ne dis pas ça. Je n'approuve pas ce que tu as fait à Sanchez, mais je sais que tu as posé un acte d'intégrité au-delà d'un geste de frustration irréfléchi.

Jennifer était certaine que Vincent ne s'était pas confié aussi ouvertement depuis bien longtemps. Même son psychologue ne l'avait probablement jamais entendu s'exprimer avec autant d'honnêteté. Le psychologue était une personne formée pour analyser, offrir des solutions et conseiller les gens figés dans leur tristesse. Seulement, cette personne n'était pas un ami ou, du moins, elle ne le devenait qu'avec une certaine réserve. Ainsi, Jennifer comprenait que leur relation signifiait beaucoup pour Vincent et elle ne voulut pas lui faire regretter ce témoignage de confiance.

– Je suis fière de toi, dit-elle sincèrement. Je suis consciente que ce sujet n'est pas facile à aborder.

– Merci, dit Vincent. Merci d'être là.

Le serveur les débarrassa de leurs assiettes vides. Jennifer refusa le dessert, optant pour un café. Vincent commanda un morceau de gâteau aux carottes. Il insista pour régler l'addition. À la blague, il lança que sa dignité d'homme avait été suffisamment écorchée. Elle ne s'entêta pas.

Dans la voiture, Vincent se montra d'abord peu loquace. Puis, il se mit à questionner Jennifer de façon ininterrompue. Il lui demanda des détails sur son travail et sa famille qui vivait toujours en Ontario. Ils avaient précédemment discuté de ces sujets, mais Vincent tenait à les aborder de nouveau. Il jugeait avoir suffisamment entretenu la conversation au restaurant. Il ne tenait pas à ce que leur rencontre se termine avec ses confidences sombres, mais plutôt qu'elle s'achève sur une note plus réjouissante. Jennifer en était consciente et elle apprécia cette attention polie.

Quand ils furent arrivés chez lui, Vincent détacha sa ceinture de sécurité. Il se tourna vers Jennifer, mais il se garda de prendre toute initiative. Elle détacha sa ceinture à son tour et se pencha pour l'embrasser langoureusement au coin des lèvres. Ce baiser marquait pourtant une limite d'engagement. Pour tout de suite, leur relation n'irait pas plus loin.

– Je te remercie pour cette soirée, dit Vincent lorsque Jennifer recula.

Il allait sortir lorsqu'elle posa sa main sur son avant-bras.

– Tout ce que tu as dit ce soir n'a fait que renforcer l'opinion que j'ai de toi. Rien ne s'est perdu entre nous. Ne l'oublie pas.

– Merci! Tu es vraiment ce qui m'est arrivé de plus beau depuis longtemps.

– On se rappelle, dit-elle en rattachant sa ceinture.

Vincent descendit. Il se pencha pour saluer Jennifer à travers la vitre de la portière. La voiture s'éloigna tranquillement et disparut à l'intersection.

Devant sa porte d'entrée, Vincent toucha l'endroit où Jennifer l'avait embrassé. Cette femme comptait tellement pour lui! Il n'allait pas manquer de le lui rappeler à leur prochaine rencontre.

Chapitre 12

Après la visite de Vincent, Maryse téléphona à Kerri. Ils se donnèrent rendez-vous chez lui à dix-huit heures.

Deux ans auparavant, Kerri avait emménagé dans une petite maison dans la région de Saint-Hyacinthe. Il avait un terrain de trente-cinq sur soixante mètres où trônaient de nombreux érables. À l'extérieur, les volets étaient d'un bleu royal, et les tuiles noires évoquaient la peau d'un reptile. Les murs intérieurs lambrissés d'une boiserie de chêne et le plancher en merisier dénotaient une certaine aisance.

Au début, il avait cru que l'effervescence de Montréal lui manquerait, mais il avait su apprécier la tranquillité de son nouvel environnement. Il ne s'était pas exilé bien loin de l'île non plus puisqu'il pouvait atteindre le pont-tunnel Louis-Hippolyte-Lafontaine en une demi-heure en empruntant l'autoroute 20.

Kerri était rarement nerveux. C'était pour lui un sentiment désagréable qu'il réussissait habituellement à écarter. Pourtant, la visite de Maryse le troublait. Kerri se sentait fautif : il avait l'impression d'avoir trahi son meilleur ami, manquant à sa promesse secrète de toujours veiller sur lui. Retrouver son épouse allait amplifier l'échec de son engagement. Dans les circonstances, il jugeait ne pas mériter mieux.

Il entendit une voiture se garer dans sa cour. Une porte claqua. Il regarda sa montre: Maryse arrivait à l'heure fixée. La sonnerie de la porte retentit.

Alors que Kerri se dirigeait vers l'entrée, son cœur cognait fort comme un poing martelant sa poitrine. Lorsqu'il ouvrit, il fut surpris par le calme et l'assurance de Maryse. Il s'efforça aussi de se montrer détendu et en contrôle de lui-même.

– Je te remercie de me recevoir.

– C'est tout naturel. Je t'en prie, entre.

Maryse passa la porte, mais elle demeura dans le hall d'entrée. Elle n'avait pas l'intention de rester longtemps. Ils se regardèrent un long moment en silence.

Maryse n'était plus la personne que Vincent avait questionnée. Elle demeurait attristée par la perte de son mari, mais sa douleur s'était muée en force. Elle reprit, d'une voix vibrante d'assurance:

– Un inspecteur est venu m'interroger aujourd'hui. Il s'appelle Vincent Auger. Est-ce que tu le connais?

Kerri haussa les épaules; ce nom ne lui disait rien.

– Il m'a posé plusieurs questions et j'ai cru comprendre qu'il croyait qu'une autre personne puisse être impliquée.

– Qu'est-ce que tu veux dire?

— Il se pourrait que l'homme qui a tué mon mari n'ait pas agi seul.

Kerri garda le silence, réfléchissant à cette hypothèse qu'il avait aussi envisagée.

— Je sais que vous aviez une petite combine, reprit Maryse. Alexandre disposait depuis récemment de nouvelles entrées d'argent et je ne suis pas stupide. J'ai accepté de fermer les yeux parce qu'il m'avait assuré qu'il n'y avait aucun risque pour lui.

Incapable de soutenir le regard de Maryse, Kerri détourna les yeux. Il avait honte d'avoir cru lui aussi qu'ils ne couraient aucun danger.

— Je ne veux pas savoir ce que vous faisiez, poursuivit-elle. Ce qui est fait est fait. Mais si le meurtre de mon mari a été planifié, je veux que ce soit toi qui trouves le responsable.

D'un geste hésitant, Kerri acquiesça. Il n'avait pas l'habitude d'être privé de sa hardiesse et de son arrogance, mais la visite de Maryse le désarmait complètement.

— Je crois aussi que ce meurtre aurait pu être commandé. Ne t'en fais pas, s'il y a un coupable, je le trouverai.

— J'espère que tu seras le premier à le faire. L'inspecteur Auger me semblait très déterminé.

— Il ne le sera jamais autant que moi, fit-il en plongeant son regard dans celui de Maryse. Alexandre comptait beaucoup plus pour moi que pour lui.

Elle laissa passer un court silence comme pour

s'assurer que le propos de Kerri devienne une promesse. Le policier continuait d'être stupéfié par le calme de Maryse. Plutôt que de l'anéantir, le deuil de son mari l'avait amenée à prendre des résolutions implacables. Kerri fut parcouru d'un frisson en réalisant qu'elle était plus forte que lui dans cette tragédie.

– Je sais que tu vas résoudre cette affaire et que tu vas trouver le coupable s'il existe. Nous le devons à Alexandre. Tu sais qu'il ferait la même chose pour toi. S'il était vivant, je n'arriverais pas à le dissuader d'affronter les pires dangers pour te faire justice.

Kerri baissa la tête. Les battements de son cœur s'accélérèrent lorsque Maryse s'avança vers lui. Son corps était aussi raide qu'une barre de fer.

– Il t'aimait tellement.

Cette affirmation n'avait aucune connotation sexuelle. Elle évoquait plutôt la grande complicité qui unissait Alexandre et Kerri depuis l'enfance.

– Je crois même qu'il t'aimait plus qu'il ne m'aimait, ajouta-t-elle.

Elle prononça ces mots sans aucune amertume. Elle n'avait jamais été jalouse de Kerri, comprenant l'estime que les deux hommes avaient l'un pour l'autre.

– Je sais que tu sauras faire honneur à ton partenaire.

Cette fois, Kerri leva les yeux. Elle se rapprocha. Ce ne fut pas leur proximité qui le troubla, mais la froideur et la détermination qui émanait de son regard. Maryse ne tentait pas d'utiliser ses charmes pour faire de Kerri son instrument de vengeance. Elle savait qu'il agirait de son plein gré et elle tenait seulement à l'appuyer.

— Il n'est pas question que le responsable soit arrêté, dit-elle sur un ton sans appel. Tu dois lui faire comprendre comment Alexandre était important pour nous. Il faut que ce soit la dernière chose qu'il sache avant de fermer les yeux.

La nature profonde et la force de caractère de Maryse lui avaient échappé durant toutes les années où il l'avait côtoyée. Lui qui se considérait comme un grand observateur, elle le ravalait au niveau de l'apprenti.

— Si ce responsable existe, je veux que tu le trouves et que tu le tues.

Ses yeux ressemblaient à deux tisons qui brûlaient du feu de la colère.

À cet instant, Kerri arriva à balayer sa nervosité. Il ne se sentait plus écrasé par le poids de la culpabilité. Les mots de Maryse venait de lui procurer un solide point d'appui. Il la respectait plus que jamais et il respectait encore plus Alexandre, qui avait su conquérir son cœur. Elle dégageait une volonté qui faisait d'elle la femme la plus forte que Kerri eût jamais rencontrée. Une douce fleur avec des racines aussi solides que celles d'un arbre.

— Alexandre m'a déjà avoué que, si on lui donnait le choix, il aurait préféré mourir avant toi pour ne pas avoir à vivre sans ta compagnie. Je sais que mon mari m'aimait, mais jamais de telles paroles n'ont été prononcées pour moi. Ce cadeau était pour toi seulement.

Au bord des larmes, Kerri ne se rappelait pas la dernière fois qu'il avait pleuré.

– Je... balbutia-t-il.

– Je pars, répondit-elle en reculant. J'ai dit ce que j'avais à dire. À toi de faire le reste.

Kerri cligna des yeux, et deux larmes glissèrent sur ses joues. Il n'avait pas honte de pleurer devant Maryse. Son ami méritait ses larmes.

– Ce sera fait.

Sur ce, elle tourna les talons pour se diriger vers la porte d'entrée. Peu de temps après, Kerri entendit la voiture s'éloigner.

Il s'essuya les joues. Il était prêt comme jamais à accomplir la tâche qui l'attendait. Il allait honorer le souvenir de son ami et rien n'allait l'arrêter.

Chapitre 13

Vendredi, 8 h 25

Vincent se trouvait à son bureau à la SQ lorsque Francis Holand lui téléphona. L'inspecteur ne s'attendait pas à obtenir de ses nouvelles aussi rapidement. Francis l'informa que le psychiatre David Viau consentait à le rencontrer.

– Comme je vous l'ai déjà dit, David est un homme très occupé et il se pourrait qu'il ait très peu de temps à vous accorder.

Le ton de Francis était teinté d'arrogance. Il s'accordait ce privilège en sachant que Vincent n'était pas dans une position pour lui en tenir rigueur. L'inspecteur le soupçonnait même d'avoir accepté sa requête pour savourer ce petit plaisir pervers en lui annonçant la nouvelle. Ou était-ce une façon de s'attirer les faveurs de Vincent pour se voir écarté de la liste des suspects? À ce stade, tout était possible.

Le rendez-vous était prévu pour dix heures à l'Institut Philippe-Pinel. C'était parfait pour Vincent, qui ne pensait pas rencontrer David aussi vite. Francis l'avisa qu'un employé de l'Institut allait l'attendre à l'entrée.

– Merci! conclut sincèrement Vincent.

Francis émit un grognement et raccrocha. Vincent consulta sa montre. Il travailla encore pendant quarante-cinq minutes avant de quitter. Lorsqu'il arriva à l'Institut Philippe-Pinel au 10905, boulevard Henri-Bourassa, il fut reçu par un homme efflanqué vêtu d'un sarrau blanc immaculé. L'homme l'informa que le docteur Viau allait le recevoir dans son bureau et il l'invita poliment à le suivre.

Vincent fut surpris d'être aussi nerveux. Il n'avait pas l'habitude d'être intimidé lors de nouvelles rencontres. Il était si préoccupé qu'il n'avait même pas porté attention à la structure du bâtiment dans lequel il pénétrait.

S'attendant à trouver un endroit agité et peuplé de cris déchirants, Vincent devait admettre que les couloirs étaient beaucoup plus calmes qu'il ne l'aurait cru. Il croisa un seul patient suivi d'un préposé qui faisait office de chaperon. Le patient avait un regard livide, noyé dans les brumes de puissants calmants. L'esprit de cet homme se dissolvait dans un monde de velours où sa propre folie n'était plus qu'un univers distant et inoffensif.

Les deux hommes longèrent un interminable couloir. De fins effluves chimiques flottaient dans l'air; une odeur de produits désinfectants qui donnait la nausée. Ils gagnèrent un pavillon qui paraissait réservé au personnel. Ils empruntèrent un autre couloir jusqu'à ce que le préposé s'immobilise devant une porte couleur châtaigne. Il frappa. Une voix aux inflexions péremptoires se fit entendre. Le préposé ouvrit la porte pour faire entrer Vincent avant de s'éclipser. L'inspecteur se retrouva seul avec le fameux David Viau.

Vincent s'attendait à découvrir un homme âgé, mais David n'avait même pas quarante ans. Il avait les yeux clairs et son regard était limpide, scintillant d'une féroce lucidité. Il paraissait voir à travers Vincent, le sondant jusqu'au plus profond de son être. Pour le reste, il avait un visage ovale, un nez aquilin et une chevelure brune épaisse.

David était assis dans un fauteuil roulant derrière son bureau.

— Vous êtes l'inspecteur Auger?

Sa voix était douce, contrastant avec la forte intonation qu'il avait employée pour inviter Vincent à entrer.

— En effet. Merci de me recevoir.

David invita Vincent à s'asseoir. L'inspecteur prit place face au psychiatre. La pièce était peu décorée, dégageant une atmosphère de rigueur. Pour profiter un peu de la douce température à l'extérieur, la fenêtre était légèrement entrouverte et la moustiquaire laissait pénétrer une fine brise qui gonflait doucement le rideau, produisant un mouvement régulier qui rappelait celui d'une méduse.

Le temps parut se figer et le silence s'étira. On aurait dit une introduction requise pour deux hommes dont la profession consistait à étudier leur interlocuteur. Ils s'observèrent intensément. Les yeux de David étaient comme deux scalpels, incisant Vincent dans les régions les plus secrètes.

L'inspecteur se sentit intimidé par cet examen minutieux. Comme si David avait perçu son inconfort, il lui adressa un large sourire. Ses traits concentrés se détendirent subtilement pour former une expression avenante.

– Francis m'a dit que vous vouliez me poser des questions sur une affaire particulière.

David posa délicatement les mains sur son bureau.

– C'est exact. Francis a beaucoup d'admiration pour vous et l'un de mes collègues m'a aussi fortement encouragé à vous rencontrer. On m'a dit que vous étiez une figure reconnue, mais je dois admettre que je ne me rappelle pas avoir déjà entendu votre nom.

David accentua son sourire.

– J'ai participé à quelques procès importants à titre d'expert. Depuis, certaines personnes ont tendance à amplifier ma renommée. J'aime que mon travail soit apprécié, mais la reconnaissance publique n'est pas essentielle pour moi. Au contraire, je suis à mon meilleur lorsque je rencontre individuellement mes patients. Mais vous n'êtes pas venu pour que je vous parle de ma carrière. Que puis-je faire pour vous?

Vincent acquiesça devant l'humilité du psychiatre. Il rassembla ses idées et exposa les raisons de sa visite.

– Récemment, un crime horrible a été commis à Saint-Bruno-de-Montarville. Un policier s'est fait tuer et le meurtrier s'est ensuite enlevé la vie en s'immolant.

– J'ai vu ce qui s'est passé dans un bulletin

d'informations à la télévision. C'est terrible. Je me demande parfois si je n'aurais pas pu faire une différence en encadrant mieux Pierre.

– Vous le connaissiez? s'enquit l'inspecteur, étonné.

David se gratta le menton pensivement.

– J'ai connu Pierre lorsqu'il avait douze ans par l'intermédiaire du Centre Mariebourg. C'était un enfant très agité.

– Attendez une seconde. J'ai parlé au directeur général hier et il ne m'a jamais mentionné que vous aviez personnellement rencontré Pierre.

– C'était il y a longtemps. Francis a peut-être oublié. J'ai traité Pierre à quelques reprises pour essayer de désamorcer son agressivité.

Vincent se gratta l'arrière de la tête. Cette information changeait plusieurs de ses questions. David poursuivit:

– La préadolescence représente un âge crucial. Pour les enfants perturbés, un manque d'encadrement peut les faire basculer dans la délinquance. Quant à Francis, je l'ai connu au Centre Mariebourg et nous sommes devenus de bons amis. Nous voulions aider les jeunes en difficulté. Malheureusement, nous n'avons pas réussi à donner à Pierre l'encadrement dont il avait besoin.

– Vous étiez bénévole?

– Absolument. Je m'occupais des cas les plus graves. J'avais terminé mes études et je me suis rapidement bâti une excellente réputation.

— Quel est votre champ d'expertise exact? Psychologue, psychiatre? J'avoue que je m'y perds.

— J'ai un doctorat en psychiatrie, mais j'ai étudié les deux disciplines à l'université. J'ai aussi suivi de nombreux cours en psychologie infantile.

— Donc, vous veniez au Centre pour rencontrer les enfants qui avaient des problèmes de comportement?

David fut amusé par la question.

— Je me rendais rarement au Centre, pour des raisons suffisamment évidentes, fit-il en tapotant les accoudoirs de son fauteuil roulant. Francis envoyait les enfants perturbés à mon domicile. La plupart d'entre eux provenaient de familles éclatées.

— C'était aussi le cas de Pierre?

— Étrangement, non. Ses parents étaient incapables de lui prodiguer l'aide dont il avait besoin. C'était un enfant borné qui se montrait extrêmement agressif lorsqu'il était contrarié. Pierre a fréquenté le Centre pendant presque un an et je l'ai suivi durant toute cette période. Progressivement, il a commencé à montrer des progrès encourageants. Puis, un jour, il a cessé de fréquenter le Centre et plus personne n'a eu de ses nouvelles. Nous avons essayé de contacter ses parents, sans succès.

— Vous ne l'avez jamais revu?

— Plusieurs années ont passé et Pierre est venu me voir à l'âge de vingt ans. Son père était décédé des suites d'un cancer et sa mère s'était suicidée deux mois plus tard. Il était paniqué et désemparé.

Je faisais de la consultation auprès des citoyens à cette époque et je lui ai offert de venir me voir. Il a d'abord refusé, puis il est revenu sur sa décision.

– Vous pouvez m'en dire plus?

David hésita.

– Je n'aime pas beaucoup l'idée de manquer au secret professionnel exigé dans mon travail.

– Je comprends, mais les informations que vous détenez pourraient s'avérer déterminantes pour faire progresser mon enquête. Je n'ai pas l'intention d'ébruiter vos secrets et je vous supplie de poursuivre si vous croyez pouvoir me fournir des renseignements pertinents.

David acquiesça.

– Je peux vous dire que Pierre se sentait coupable de la mort de sa mère. Il se remettait en question et étudiait son comportement pour essayer de déterminer son degré de responsabilité. Il avait perdu tous ses repères et le geste d'autodestruction de sa mère perturbait son jugement.

Vincent eut un sourire pincé.

– J'ai interrogé la femme de Pierre et elle ne m'a pas dit que son mari avait déjà consulté un psychiatre.

– Je n'en suis pas surpris. Il y a de bonnes chances que Pierre le lui ait caché.

Vincent n'avait pas l'air convaincu.

– Ce n'est quand même pas n'importe quoi de cacher ce genre de choses à sa conjointe.

– Au contraire, inspecteur, ce genre d'information peut ruiner une relation. La confiance a ses limites et il n'est pas rare que des personnes préfèrent mentir pour protéger ce genre de secret.

Vincent réalisait que cette observation pouvait s'appliquer à sa propre expérience de vie. Il revit la froideur sur le visage de sa femme lorsqu'elle lui avait annoncé qu'elle le quittait. Il repensa à son amertume et à ses frustrations. Vincent comprit les raisons de son irritation soudaine: il maudissait Pierre. Qu'il l'ait fait consciemment ou inconsciemment, Pierre avait fait un meilleur choix que lui en dissimulant son secret à son épouse. La franchise de Vincent lui avait coûté son mariage.

Il laissa fuser un rire amer. Voilà qu'il se mettait à haïr un homme mort. Il s'efforça de balayer ses douloureux souvenirs pour rester concentré sur l'enquête. David lui facilita la tâche en reprenant ses explications:

– Pierre était très anxieux lorsqu'il venait me voir. Il avait honte. Il prenait toutes les précautions nécessaires pour garder le secret sur nos rencontres. Je m'en souviens très bien parce que sa peur constituait un obstacle permanent entre nous. Pierre avait de la difficulté à se confier. Le jour où je suis arrivé à gagner sa confiance, il a commencé à manifester des progrès considérables. Mais l'histoire s'est répétée : il a disparu. Il avait mis fin à sa thérapie à un stade que je jugeais prématuré. On aurait dit que Pierre refusait de guérir complètement.

– Était-il dangereux?

– Non. Désorienté et angoissé. Rien dans son comportement ne laissait présumer la colère.

– Donc, selon votre expertise, Pierre n'était pas une personne particulièrement violente.

— Dans ma profession, on apprend à découvrir les gens en profondeur, mais certaines choses peuvent nous échapper. Les secrets les mieux gardés le sont parfois aussi pour la personne qui cherche à se connaître. Autrement dit, on ne peut jamais prédire le comportement des gens.

L'inspecteur hocha la tête en signe d'approbation.

— Êtes-vous surpris que Pierre ait été impliqué dans un homicide et qu'il se soit suicidé?

— J'ai beaucoup de difficulté à croire ce qui s'est passé. Ce jeune homme souffrait, mais il n'a jamais envisagé le suicide comme une solution pour résoudre ses problèmes.

— Croyez-vous que Pierre ait pu rencontrer un autre psychiatre?

— Je ne sais pas. Pierre était très méfiant et je ne crois pas qu'il aurait fait confiance à une autre personne que moi. Je l'avais connu lorsqu'il était préadolescent et je sais que c'est pour cette raison qu'il est revenu me voir.

Vincent appréciait cette discussion avec le psychiatre. David n'employait pas un langage emphatique ou une rhétorique hermétique pour chercher à l'impressionner. Ses manières ne dénotaient aucune arrogance.

Vincent avait imaginé cette rencontre différemment et, maintenant qu'il se trouvait en face de David, il réalisait à quel point l'idée qu'il s'était faite du psychiatre était erronée. Sa gentillesse et son professionnalisme rendaient son handicap secondaire. En pénétrant dans son bureau, Vincent s'attendait à découvrir plusieurs indices de son handicap comme des plates-formes particulières ou un mobilier ajusté aux besoins d'un paraplégique alors que la pièce présentait un aménagement conventionnel. Il réalisait combien ses préjugés étaient condescendants. David lui avait été décrit comme un expert réputé, et Vincent avait déformé cette gloire, croyant qu'elle reposait sur la sympathie pour un homme handicapé. Il avait fait erreur et il le regrettait. David reprit :

— Vous devez comprendre que Pierre n'était pas le pire des cas que le Centre Mariebourg m'ait envoyé. D'ailleurs, à la même époque, c'était le meilleur ami de Pierre qui m'inquiétait le plus.

Vincent sentait que le psychiatre venait de lui livrer une information cruciale.

— De qui parlez-vous?

— Laurent Hudson. Un pauvre garçon qui n'a jamais eu de chance.

L'inspecteur perçut un mélange de tendresse et de regret dans l'expression du psychiatre; Laurent semblait représenter un souvenir professionnel douloureux.

David garda le silence alors que le portrait de Laurent se cristallisait dans son esprit. Des joues creuses, des cheveux d'un blond fade, des yeux cireux et des vêtements trop amples qui dissimulaient un corps famélique. Un élève de douze ans qui suscitait l'inquiétude et que personne n'aimait approcher.

— Pierre et Laurent venaient d'écoles différentes et ils se sont rencontrés au Centre. En général, l'atmosphère dynamique et l'enthousiasme qui règnent ici parviennent à amadouer les élèves turbulents. Ce ne fut pourtant pas le cas de Pierre et de Laurent qui représentaient un tout autre défi. Ils restaient distants et la seule amélioration notable dans leur comportement survenait lorsqu'ils étaient ensemble.

— Parlez-moi de ce Laurent, demanda Vincent.

— Après l'avoir rencontré, j'ai compris que Laurent souffrait d'une pathologie particulière que je ne suis jamais parvenu à qualifier adéquatement. Son comportement évoquait parfois une schizophrénie simple, mais son cas était atypique et il ne s'aggravait pas. Malgré son jeune âge, Laurent avait un côté très mature et théâtral. Il aimait incarner différentes professions et il était très convaincant lorsqu'il plongeait dans son monde illusoire. Un jour, il pouvait se prendre pour un policier téméraire; le lendemain, c'était un pompier déterminé. Cela peut paraître banal, mais je vous assure que Laurent se prenait extrêmement au sérieux et que son insistance soulevait l'inquiétude. Lorsque j'essayais de le faire décrocher de son personnage, il se montrait borné et, parfois, violent. Je crois que c'était pour cette raison que Laurent et Pierre s'entendaient à merveille; Laurent s'était trouvé un public et Pierre encourageait son ami plutôt que de se méfier de lui.

— Est-ce que Laurent souffrait d'un dédoublement de personnalité?

— Non. Les patients souffrant d'un trouble dissociatif de l'identité donnent l'illusion d'abriter plusieurs personnalités dans un même corps; plusieurs chaînons appartenant à un ensemble plus complexe. Toutefois, il s'agit plutôt de la dissolution d'une même identité. Chez Laurent, il n'existait aucune confusion sur sa personne. Je reconnaissais parfaitement sa personnalité à travers les métiers qu'il incarnait. Laurent était de nature introvertie et solitaire, mais, derrière une profession imaginaire, il se montrait très loquace. Je crois qu'il souffrait d'un grand manque de confiance en lui et qu'il ne savait pas comment se comporter avec d'autres élèves. Simuler une carrière lui donnait de l'assurance, mais une seule profession ne lui suffisait pas, et Laurent ne pouvait vaincre ses peurs que s'il se projetait dans plusieurs métiers. De cette façon, il devenait la somme de toutes ses aspirations plutôt que d'être réduit à une seule d'entre elles. Sa fabulation était bien particulière.

Vincent arbora un air perplexe. Il n'était pas certain de comprendre parfaitement.

— Est-ce que Laurent était dangereux?

— Non, pas dangereux. C'était surtout un élève mal dans sa peau. Il pouvait se montrer agressif si je cherchais à briser son monde imaginaire. Pour Laurent, le monde était un univers hostile et il se cachait derrière une multitude de professions pour mieux l'affronter.

— Croyez-vous qu'il aurait pu devenir un adulte violent?

— Je ne sais pas. Il ressemblait surtout à ce qu'il était: un préadolescent qui prenait ses jeux trop au sérieux. Laurent refusait d'abandonner ses personnages. Il a quitté le Centre avant que sa thérapie ne soit achevée. Lorsque Pierre est revenu me voir à l'âge de vingt ans, j'ai été étonné qu'il me parle de Laurent à quelques reprises. Je crois qu'ils étaient en contact.

— Est-ce que vous savez si Laurent consultait aussi un psychiatre?

— Je ne sais pas. Pierre ne me l'a jamais spécifié.

Vincent évalua les renseignements qu'il venait de recueillir. Devant le visage songeur de l'inspecteur, David poursuivit:

— En ce qui concerne votre enquête, je ne connais pas tous les détails; cependant vous devez savoir qu'un homme peut commettre un geste de pure folie sans nécessairement avoir des antécédents psychiatriques. Les malades mentaux évoluent dans une certaine logique propre aux paramètres de leur pathologie; ce n'est pas le cas des gens qui vont délibérément commettre un crime. J'ajouterais aussi que le germe de la destruction et de l'autodestruction dort en chacun de nous et je me méfie personnellement beaucoup plus des gens que nous qualifions de normaux.

Soudain, l'inconfort qui avait frappé Vincent avant de rencontrer David réapparut. Devant l'attitude sympathique du psychiatre, ce sentiment lui parut irrationnel. Pourtant, il n'arrivait pas à l'endiguer. Pourquoi cet inconfort? Pourquoi se méfier d'une personne qui se montrait aussi affable? Peut-être qu'il avait peur que David puisse le sonder et découvrir ses secrets les mieux gardés? Peut-être pouvait-il déceler et analyser les zones d'ombre qui l'avaient poussé à se jeter sur Émilio Sanchez? Puisqu'il se méfiait des gens normaux, peut-être que David voyait en lui un danger plus grand que chez les patients qu'il traitait.

— Je crois que ça suffira, fit l'inspecteur qui s'efforçait de ne pas trahir son malaise. Je n'ai pas d'autres questions. Je vous remercie beaucoup pour votre aide.

Les deux hommes échangèrent une poignée de main ferme. Vincent se leva et déposa sa carte sur le bureau du psychiatre.

— N'hésitez pas à m'appeler si vous avez d'autres informations à me communiquer.

— Je le ferai.

David inscrivit son numéro de téléphone et son adresse sur un bout de papier qu'il tendit à l'inspecteur.

— Voici mes coordonnées. Si vous avez d'autres questions, vous pouvez me joindre.

— Merci.

Vincent glissa le bout de papier dans son portefeuille. Alors qu'il allait sortir du bureau, David ajouta :

— Même dans une grande ville comme Montréal, il est parfois étonnant de voir des personnes se retrouver après avoir été longtemps séparées. Le destin est peut-être un mot un peu futile pour expliquer ce phénomène, mais il n'en demeure pas moins que son pouvoir reste indiscutable.

Vincent ne comprit pas pourquoi David lui confiait cette réflexion. Le psychiatre lui apparaissait comme une personne pragmatique et l'emploi du mot « destin » sonnait faux dans sa bouche.

— Que voulez-vous dire exactement? demanda Vincent avec un sourire.

— Je le répète, certaines personnes semblent destinées à se retrouver même si elles se séparent dans une ville comme Montréal qui compte un million huit cent mille habitants. Je ne sais pas si Laurent et Pierre sont toujours restés en contact depuis leur rencontre au Centre Mariebourg, mais, s'ils se sont séparés, je suis certain qu'ils se sont retrouvés par la suite. Ils étaient destinés à se connaître. Cherchez le passé de Pierre, inspecteur. C'était un jeune homme influençable et il a forcément eu de l'aide pour devenir l'artisan de sa propre concrète.

Vincent approuva d'un grand signe de tête. Une fois de plus, la perspective d'un complice devenait concrète.

— Merci encore!

Sur ce, l'inspecteur sortit du bureau.

Pendant un moment, Vincent se laissa baigner par les rayons du soleil pour mieux oublier les couloirs moroses de l'Institut. L'inconfort qu'il avait ressenti quelques minutes plus tôt s'était envolé.

Sa rencontre avec David avait eu un effet positif indéniable et elle constituait une bouffée d'air frais; un moment d'accalmie dans la tourmente de l'enquête. Si le destin pouvait faire de Pierre et de Laurent des êtres inséparables, peut-être que le jeu du hasard allait lui permettre de rencontrer le psychiatre à nouveau.

Vincent se sentait prêt à faire face aux éléments les plus scabreux. C'était sûrement ce qui l'attendait d'ailleurs puisqu'une rencontre avec Laurent Hudson risquait d'être peu ordinaire.

Chapitre 14

Vingt ans plus tôt.

Une pluie torrentielle déferla sur le paysage, accompagnée de fortes bourrasques. La chaussée était glissante comme si elle était recouverte d'une fine pellicule de givre. Mieux valait ne pas rouler à toute vitesse dans de telles conditions.

Ralentir était la dernière chose dont le jeune homme avait envie. Poussant sa vieille Sunbird au bout de ses limites, il ne désirait qu'une seule chose : s'éloigner et retrouver la maison de ses parents située sur un chemin de campagne. En plus du vent et de la pluie, sa nervosité rendait sa conduite encore plus périlleuse. Il fit des efforts pour faire abstraction de l'altercation dans laquelle il avait été impliqué à l'école quelques minutes plus tôt. Il n'y arrivait pas, revoyant continuellement la scène.

Le véhicule filait sur l'asphalte parsemé de nids-de-poule. Les essuie-glaces balayaient les accumulations d'eau sur le pare-brise. La route luisante ressemblait à un serpent sur le point de se dresser.

Il se revoyait quitter l'école en trombe, laissant perplexes les étudiants avec qui il s'était querellé.

Le Big Three comme ils aimaient s'appeler. Ils étaient tous d'excellents défenseurs au hockey et ce nom renvoyait directement à trois légendes de ce sport: Larry Robinson, Serge Savard et Guy Lapointe. Un nom qu'ils considéraient plus qu'approprié pour les trois jeunes les plus cool de l'école.

Pour lui, ils étaient égocentriques, accordant seulement leur attention aux élèves populaires au détriment de tous les autres qui aspiraient désespérément à gagner leur estime. Leur arrogance l'irritait. Il ne pouvait plus les supporter depuis longtemps, mais il n'avait jamais osé se dresser contre eux. D'ailleurs, personne ne souhaitait les provoquer pour ne pas se voir rejeté des cercles étudiants les plus populaires. Il se contentait donc de les éviter. Mais l'insulte qu'ils lui avaient fait subir aujourd'hui dépassait les bornes.

La pluie s'intensifiait. Même réglés à la vitesse maximale, les essuie-glaces ne suffisaient pas à dégager les torrents d'eau pour permettre une bonne visibilité. Le faisceau des phares perçait les flancs d'une température hostile. Un petit brouillard s'élevait dans le fossé qui bordait la route, accentuant la menace environnante.

Pourquoi l'avaient-ils choisi pour leur blague stupide? Pourquoi pas un autre? Il faut dire qu'il les avait tous surpris en leur répliquant. Lui-même en avait été abasourdi, sa révolte n'ayant pas été préméditée. Mais, seul dans sa voiture, il n'éprouvait pas une grande fierté.

Il revoyait chacun des membres du Big Three : l'un avait les cheveux châtains, le second, une tignasse blonde, et le plus intimidant d'entre eux arborait une coupe en brosse d'un noir d'ébène. Lorsqu'il avait vu ce dernier s'approcher de lui après la classe, ses jambes étaient devenues flageolantes. Pourtant, le jeune homme à la chevelure noire avait feint l'amabilité en le ceinturant amicalement par les épaules pour l'entraîner vers ses deux complices.

Le piège était tendu.

Les membres du Big Three l'avaient entretenu du bal des finissants qui approchait. La discussion s'était poursuivie et, bien qu'il fût encore sur ses gardes, l'idée qu'il ait pu attirer la sympathie du Big Three commençait à le séduire. Seulement, le véritable but de cette mise en scène lui avait été révélé lorsque l'étudiant aux cheveux noirs lui avait tendu une liste.

Pour s'assurer que la condensation n'envahisse pas l'habitacle, il avait baissé la vitre de sa portière de deux centimètres. Il avait aussi réglé le système de chauffage au maximum. Son bourdonnement ressemblait à un râle.

Le bal des finissants n'aurait lieu que dans plusieurs semaines et le jeune homme ne comprenait pas pourquoi ce papier lui était remis jusqu'à ce qu'il en prenne connaissance. Le trio continuait de manifester de la bonhomie en espérant qu'il soit suffisamment naïf pour croire à leur fausse camaraderie. En gros, il tenait une liste de tâches à accomplir. Il devait trouver de l'argent, acheter de l'alcool, louer des voitures luxueuses et remplir d'autres besognes pour assurer le succès de la soirée qui se déroulerait après le bal des finissants. En échange, le Big Three lui promettait que ses efforts lui vaudraient leur reconnaissance; une gratitude qui ne manquerait pas de trouver écho chez les autres étudiants.

Il ne pouvait le croire. Il avait cligné des yeux et avait dû faire de gros efforts pour retenir ses larmes. Que cherchaient-ils exactement à faire à part l'humilier? Il arrivait à tolérer l'indifférence du trio, mais cette méchanceté lui était insupportable. Comment pouvait-il être considéré avec aussi peu d'égard? Le trio souhaitait qu'il finance leurs dépenses. Ils voulaient l'exploiter en échange d'une fausse promesse d'estime.

Il leur avait rendu la lettre avec un grand signe de dénégation. Il était dégoûté comme jamais. D'abord surpris, les trois jeunes l'avaient invité à considérer sérieusement leur offre, ponctuant leur propos de sourires hypocrites. C'était trop. Devant leur insistance, il s'était montré soudain hargneux et il avait lancé des invectives. Ne s'attendant pas à cet affront, les trois jeunes hommes en étaient restés bouche bée. La cour était bondée d'étudiants qui se massaient vers leur autobus pour rentrer chez eux. Plusieurs d'entre eux avaient été témoins de la scène et, pour la première fois, le Big Three n'avait pas paru aussi cool que le voulait leur réputation. Lui n'avait pas l'habitude de se donner en spectacle de la sorte, mais la colère avait occulté son jugement. Après avoir vidé son sac, il avait traversé la cour à grandes enjambées pour retrouver sa voiture, laissant derrière lui, perplexes, les membres du trio. Puis, l'orage avait éclaté, comme si cet affront avait offensé des forces divines. Ses mains tremblaient lorsqu'il les avait posées sur le volant. Il n'arrêtait pas de penser à ce qui s'était passé et, durant le trajet, les conditions routières s'étaient rapidement détériorées.

Soudain, la voiture dévia vers l'accotement et il donna un brusque coup de volant pour la ramener sur la voie de droite. Sa gorge était sèche et il avait l'impression d'avaler un tison ardent chaque fois qu'il déglutissait. Il joua avec le bouton de la radio, mais les postes ne diffusaient que de vieilles chansons de rock ou des ballades sirupeuses. Il l'éteignit en jurant au moment où sa vieille Sunbird fut secouée en roulant sur un nid-de-poule. Si seulement il vivait à la ville plutôt qu'à la campagne, il n'aurait pas à emprunter cette route sinistre chaque fois qu'il prenait sa voiture pour se rendre à l'école.

En hasardant un regard dans son rétroviseur, il distingua deux petits points lumineux. Il reconnut les phares d'un véhicule qui se rapprochait rapidement. Le conducteur roulait très vite malgré la mauvaise température. La voiture vint d'abord se placer derrière la Sunbird avant de quitter sa position pour amorcer un dépassement par la gauche.

Un frisson lui traversa l'échine alors que la voiture se tenait dans son angle mort. Une pensée terrible se faufila dans son esprit, mais il s'empressa de la rejeter. C'était impossible. Jamais ils ne se donneraient autant de mal pour lui. Et pourtant, lorsque la voiture avança sur sa gauche, il tourna son cou crispé et reconnut avec horreur le jeune homme aux cheveux noirs au volant. Ses deux complices étaient avec lui. Le trio s'était lancé à sa poursuite.

Chapitre 15

De retour à son bureau de la SQ, Vincent vérifia ce qu'il pouvait apprendre sur Laurent Hudson. Il n'eut pas à faire de longues recherches : Laurent avait un casier judiciaire répertorié dans le système informatique. Quatre ans plus tôt, il avait été inculpé pour voies de fait lors d'une altercation survenue dans un bar. Un client avait insisté pour se faire rembourser un verre renversé après que Laurent l'eut bousculé accidentellement. Laurent lui avait brisé la mâchoire. Une adresse figurait dans le rapport de police et Vincent espérait qu'elle soit toujours bonne. Il décida d'aller vérifier immédiatement si Laurent Hudson habitait toujours dans le quartier Hochelaga-Maisonneuve.

Chapitre 16

Après le départ de Maryse, Kerri était retourné à Montréal pour interroger ses informateurs. Il avait finalement passé la nuit à ses recherches. Pour obtenir des renseignements, les rues grouillaient de ressources à condition de poser les bonnes questions aux bonnes personnes. Peau blafarde, yeux injectés de sang, tatouages démesurés, percings: les jeunes écorchés de la société hantaient les rues comme des fantômes. Pour s'assurer de leur coopération, Kerri connaissait le pouvoir de quelques cachets de méthamphétamines. Il fut généreux dans sa distribution gratuite pour savoir si un contrat avait été mis sur la tête d'Alexandre. Avec les cas réticents, il n'avait pas hésité à recourir à la menace pour s'assurer que personne ne mente. Malgré son ardeur et sa force de persuasion, il fut confronté à l'impasse. Personne ne savait quoi que ce soit.

Kerri retourna chez lui. Par pur réflexe, il inspecta son domicile, son Walther P99 à la main. Personne ne l'attendait. Une fois l'esprit tranquille, il s'était couché pour dormir quatre heures.

Kerri se réveilla à 9 h 50. Il alla à la cuisine pour

se préparer un expresso. Il ajouta beaucoup de sucre et avala des méthamphétamines pour rester éveillé. Ayant pris une douche froide, il enfila une chemise noire et un pantalon de velours côtelé.

Il écouta les trois messages enregistrés sur son répondeur. Il n'apprit rien d'utile pour ses recherches et s'empressa de les effacer. Il appela Barrie Piette sur son cellulaire.

Barrie travaillait dans le même édifice de la Sûreté du Québec que Vincent. Il connaissait aussi Alexandre, et les trois hommes étaient d'excellents amis. Barrie lui avait téléphoné peu de temps avant la visite de Maryse pour lui offrir ses sympathies et son aide. Kerri n'allait pas laisser passer cette occasion. Sachant que la SQ était impliquée, il lui avait demandé de recueillir toutes les informations disponibles. Il savait que l'homme était digne de confiance et qu'il pouvait lui être utile dans sa croisade personnelle.

Au téléphone, Barrie lui fit part des informations qu'il avait glanées. Vincent Auger était chargé de l'enquête. Kerri se rappela que c'était le nom que Maryse lui avait donné. Des échantillons avait été envoyés au Laboratoire de médecine légale et de sciences judiciaires. Les relevés de comptes bancaires et d'appels téléphoniques de Pierre et d'Alexandre avaient été comparés et rien n'indiquait que des liens les unissaient. Aucun d'eux n'avait effectué une importante transaction bancaire dans les derniers jours. Barrie avait obtenu ses informations en profitant de l'absence d'Aaron Royer, un enquêteur qui secondait Vincent, pour fouiller prudemment son bureau. Voilà les informations dont Barrie disposait, mais il comptait aviser Kerri dès qu'il aurait du nouveau. Le policier le remercia, avant de raccrocher.

À la cuisine, il se prépara une assiette de viandes froides et de légumes crus. Il prit une bouteille de Jack Daniel's et emporta son assiette au salon où il se laissa tomber dans un fauteuil. Tel un goinfre, il avala rapidement son repas. Il but un peu d'alcool à petites lampées. Le liquide incendia sa gorge. Kerri referma et écarta la bouteille. Il avait encore beaucoup à faire et il voulait garder l'esprit clair.

Il téléphona à son PDQ pour demander quelques jours de congé, prétextant que la mort d'Alexandre le terrassait. Alphonse risquait de se douter qu'il allait mener sa propre enquête, mais Kerri s'en foutait. Il existait déjà de fortes tensions entre eux, et le policier savait parfaitement que son supérieur refuserait de l'affecter à cette affaire s'il le lui demandait. Mieux valait mentir et éviter Alphonse plutôt que de l'affronter sur ce sujet. D'une manière ou d'une autre, Kerri allait faire à sa façon et il n'avait pas besoin de l'autorisation de quiconque.

Il quitta son domicile pour retourner à Montréal. Il lui restait encore quelques informateurs à questionner. Kerri se trouvait à cinq minutes du pont-tunnel Louis-Hippolyte-Lafontaine lorsque son cellulaire sonna. C'était Barrie.

– J'ai quelque chose qui pourrait t'intéresser.

– Je t'écoute, dit Kerri.

– Je t'appelle de mon bureau à la SQ. Vincent vient tout juste de partir pour se rendre à l'adresse d'un certain Laurent Hudson. Je ne sais pas si ce gars est mêlé au meurtre d'Alexandre, mais Vincent tenait à l'interroger.

– As-tu une adresse?

– Oui, je l'ai prise dans nos archives.

– Je t'écoute.

Kerri mémorisa l'information.

– Merci, Barrie.

– C'est tout naturel.

Kerri raccrocha.

L'appel de Barrie ne pouvait mieux tomber. Kerri s'engagea dans le pont-tunnel. Une fois de l'autre côté, il emprunta la sortie menant au quartier Hochelaga-Maisonneuve. Il regarda sa montre. Il avait de bonnes chances d'arriver avant Vincent.

Chapitre 17

Vincent se retrouva devant un immeuble délabré de trois étages. Le bâtiment tombait en ruines. Plusieurs bardeaux étaient arrachés du toit mansardé, comme si un vent déchaîné les avait emportés. Les briques de l'immeuble étaient mouchetées.

Vincent consulta son bloc-notes pour vérifier l'adresse. Si Laurent Hudson n'avait pas déménagé, il habitait au deuxième étage de ce bâtiment. Il gravit les marches d'un escalier en colimaçon affublé d'une balustrade gangrenée par la rouille. Il cogna à la porte. Personne ne vint répondre. Il appuya sur la sonnette et cogna à nouveau. Pas de réponse.

Quatre adolescents passèrent devant l'immeuble. Vincent entendit des obscénités qui lui étaient adressées. Il ignora les adolescents, et leurs voix tapageuses s'estompèrent à mesure qu'ils s'éloignaient.

Vincent fit un dernier essai en donnant un grand coup de poing sur la porte qui sembla sur le point de céder devant son insistance. Visiblement, personne n'était là. L'adresse dans le rapport de police datait de plus de quatre ans, et Laurent pouvait avoir déménagé depuis. Il préférait toutefois s'en assurer en interrogeant une personne du voisinage qui, avec un peu de chance, connaîtrait le nom du locataire de cet appartement. Il amorçait la descente de l'escalier lorsqu'un bruit attira son attention. Il releva la tête et remarqua que la porte de l'appartement du deuxième étage avait été entrouverte.

L'inspecteur remonta l'escalier. Il attendit, mais personne ne se montra. Sur sa droite se trouvait une large fenêtre occultée par un épais rideau vert. Il ne vit personne déplacer la tenture pour jeter un coup d'œil à l'extérieur.

Vincent ramena son attention sur l'entrée. La porte était abîmée, mais elle lui paraissait bien solide sur ses gonds. Quelqu'un l'avait forcément ouverte de l'intérieur.

— Il y a quelqu'un? hasarda-t-il à voix haute.

Un long silence suivit. Vincent ouvrit sa veste pour glisser la main jusqu'à son étui. Il poussa la porte et entra prudemment.

Un couloir étroit se déployait jusqu'à une petite cuisine. Les rideaux fermés plongeaient l'appartement dans une pénombre menaçante. L'inspecteur pouvait néanmoins s'orienter sans difficulté.

— Est-ce qu'il y a quelqu'un? répéta-t-il avec autorité.

Aucune réponse. Cet endroit ne lui inspirait pas confiance. Paradoxalement, il avait de la difficulté à imaginer qu'un danger imminent le menaçait. Il resta toutefois aux aguets. Il était conscient que des agressions se commettaient à toutes les heures de la journée.

— Je suis enquêteur pour la Sûreté du Québec. S'il y a quelqu'un, montrez-vous.

Cette fois-ci, Vincent entendit un bruit qui provenait de l'autre bout du couloir.

Il défit l'attache de son étui. Prêt à dégainer son Walther P99, il avança.

Un bruit de verre brisé retentit. On aurait dit une assiette volant en éclats qui s'écrasait sur le sol.

Vincent accéléra dans le couloir, poussé par une montée d'adrénaline. Il fit irruption dans la petite cuisine.

Au centre de la pièce, un homme lui tournait le dos. Il était penché sur une table, les mains plaquées sur la tête. L'homme portait un survêtement militaire semblable à une tenue de camouflage.

— Il m'a frappé, gémit-il d'une voix nasillarde.

Vincent s'approcha. Il vit que l'homme saignait à la tête. Ses mains étaient justement posées sur sa blessure, empêchant Vincent d'en mesurer la gravité.

— Qu'est-ce qui vous est arrivé? s'enquit l'inspecteur.

— Il m'a frappé, puis il est parti par là.

Sans se retourner, l'homme pointa avec le pouce le couloir que Vincent venait d'emprunter. Machinalement, l'inspecteur se retourna. Il n'avait croisé personne sur son chemin et il ne voyait pas comment quelqu'un aurait pu s'échapper dans cette direction. Il ramena son attention sur l'homme blessé.

Trop tard.

Vincent reçut un coup de casserole sur la tempe gauche et s'écrasa lourdement sur le sol. Sa vision se brouilla et il perdit connaissance.

Chapitre 18

Ce fut dans la douleur que Vincent retrouva ses esprits. Il se sentait comme un nageur émergeant à la surface de l'eau juste avant de se noyer. Il avait les poumons en feu et ses premières respirations étaient pénibles. L'effet de désorientation persistait comme si son corps se refusait à renouer avec un environnement hostile. Des formes indistinctes et oblongues dansaient devant ses yeux comme pour le narguer. Les objets finirent par reprendre leur place dans la réalité et Vincent put distinguer où il se trouvait. Il était attaché à une chaise dans la petite cuisine. Les rideaux étant tirés, il dut cligner des yeux pour s'adapter à la lumière aveuglante. Il était face à une série d'armoires en bois ébréché et à un réfrigérateur crasseux. Des figurines magnétiques, à l'effigie de personnages célèbres de Walt Disney, immobilisaient des bouts de papier déchirés sur la porte du réfrigérateur. Vincent vit des mots rédigés en gros caractères et sans cohérence, des gribouillis confus reflétant un esprit désordonné.

Il avait beaucoup de difficultés à se concentrer. Il secoua la tête et, aussitôt, des élancements douloureux s'éveillèrent. Vincent avait l'impression que des tessons entaillaient son crâne en ricochant. Péniblement, il reconstitua ce qui s'était produit.

Il était entré dans l'appartement. Il avait traversé un couloir dans la pénombre. Il avait entendu un bruit de verre brisé et il s'était rué dans la cuisine pour découvrir un homme blessé à la tête. Ensuite, un moment d'inattention et il avait été frappé violemment.

Vincent essaya de bouger, mais il était solidement attaché. Il avait été ficelé avec un long fil téléphonique torsadé. L'inspecteur serra les dents. Comment avait-il pu être aussi imprudent? Il avait voulu se porter au secours d'un homme qui en avait profité pour l'attaquer. À sa défense, tout s'était passé très vite.

Soudain, une voix souffla dans son dos.

— Je vous conseille de ne pas crier.

Il n'avait même pas remarqué qu'une personne était postée derrière lui. Brusquement, sa chaise fut déplacée et Vincent pivota de cent quatre-vingts degrés pour se retrouver face à la table de cuisine.

L'homme qui l'avait frappé passa sur sa droite sans le regarder. Il attrapa un long couteau posé sur la table et le souleva au-dessus de sa tête pour l'examiner. La lame acérée décochait des reflets moirés. Il se retourna pour faire face à l'inspecteur. Son regard le glaça.

Il avait des yeux jaunes de reptile. Ses lèvres dessinèrent un sourire narquois. Une cigarette était coincée à la commissure gauche de ses lèvres et dessinait un ruban de fumée qui formait des arabesques diaphanes. Il portait un béret militaire vert. Une allure farfelue qui aurait pu être drôle en d'autres circonstances.

— Êtes-vous Laurent Hudson? demanda Vincent.

L'homme acquiesça. Il soupesa le couteau dans sa main droite avant de le remettre sur la table. Laurent laissa échapper un petit ricanement; écho discordant qui modulait sa folie. Son rire cessa net. Il écrasa sa cigarette sur le rebord de la table et dévisagea l'inspecteur avec hostilité.

Vincent remarqua du sang séché et des cheveux poisseux sous le béret de Laurent. S'était-il infligé lui-même sa blessure? Quoi qu'il en soit, sa stratégie avait bien fonctionné et il avait réussi à duper Vincent.

Il se pencha et immobilisa son visage à une vingtaine de centimètres de celui de l'inspecteur.

— Où est votre uniforme, soldat? dit-il avec une rigueur toute militaire.

Sa voix résonna dans un claquement sec. Il scrutait son prisonnier avec des yeux inquisiteurs. Vincent ne savait quoi répondre. Que devait-il faire? Jouer le jeu ou essayer de discuter posément avec Laurent? Il ne devait pas perdre de vue qu'il était totalement à sa merci. Il essaya de le raisonner en faisant attention pour ne pas le brusquer.

— Je suis enquêteur pour la Sûreté du Québec. Vous ne pouvez pas me retenir contre mon gré. Est-ce que vous comprenez?

Laurent continua de dévisager Vincent comme pour l'exhorter à livrer une réponse plus précise. Subitement, il exhiba son poing sous le nez de l'inspecteur. Ses jointures étaient parcourues de petites cicatrices.

– Je vous ai posé une question, soldat.

Vincent réfléchissait à toute vitesse. Il allait devoir s'y prendre autrement et jouer le jeu. Il espéra ne pas se tromper, en déclarant:

– Je travaille en secret. Les enquêteurs n'ont pas d'uniforme pour garder leur anonymat.

Vincent se sentait ridicule, mais il espérait ne pas précipiter son malheur en adoptant cette tactique.

– Je me méfie des gens qui travaillent en secret. On ne sait jamais si on peut leur faire confiance.

Le silence qui suivit fut angoissant. Vincent était persuadé que les prochaines secondes allaient déterminer son sort.

Partant du béret imbibé, un mince filet de sang glissa sur le front de Laurent. Il l'essuya avec sa main et arbora un large sourire en regardant ses doigts maculés.

– Vous avez remarqué que je saignais?

Laurent toisa sévèrement Vincent qui n'osa pas répondre.

– J'ai voulu me peigner avec un couteau, fit-il en retournant son attention sur sa main écarlate. Ce n'était peut-être pas une bonne idée.

Il éclata d'un rire suraigu qui fit frissonner l'inspecteur.

– Je devrais essayer avec vous. La lame glissera peut-être mieux sur votre crâne. Moi, le couteau m'a mordu, mais je parie que ce sera différent avec vous.

Il susurra :

– Rien ne me prouve que vous êtes ce que vous dites. Mais la lame saura si vous mentez. Elle sait faire parler les gens.

Vincent n'osa plus ouvrir la bouche. Cet homme était complètement fou.

À cet instant, une sonnerie retentit. Vincent sursauta. Laurent s'écarta pour se rapprocher d'un téléphone mural près de l'encadrement qui jouxtait le couloir et la cuisine. Il le regarda avec fascination, ne donnant pas l'impression de vouloir décrocher. Aucun répondeur ne vint couper l'insistance des sonneries, et Vincent crut qu'elles allaient continuer à jamais. L'écho se répercutait dans sa tête, amplifiant les élancements qui lui vrillaient le crâne. Laurent jeta un regard méfiant à Vincent, comme s'il lui attribuait la responsabilité de cette perturbation.

– Je préfère ne pas répondre. Je ne veux pas que l'on soit dérangés. Si c'est pour vous, je vais devoir dire que vous n'êtes pas ici et je n'aime pas mentir.

Vincent ne savait pas s'il devait rire ou hurler. Le téléphone se tut finalement. Laurent reporta son attention sur Vincent. Il s'approcha pour fouiller les poches de l'inspecteur. Ses gestes étaient secs et impatients. Il trouva son trousseau de clefs et son portefeuille auxquels il n'accorda aucun intérêt.

Vincent ne pouvait rester sans rien faire; cet homme était vraiment dangereux. Ses bras étaient solidement ficelés à son corps, mais ses jambes n'étaient pas attachées. Il bénéficiait d'un peu de mobilité et croyait pouvoir se lever. Une fois debout, il devrait faire vite en chargeant Laurent avec tout son corps. Avec un peu de chance, il pourrait peut-être l'assommer en le renversant. Mais Laurent était beaucoup trop près pour l'instant, et Vincent préféra attendre une meilleure occasion.

Après avoir fouillé les poches du pantalon, Laurent ouvrit la veste de l'inspecteur, découvrant son arme dans sa gaine. Vincent retint son souffle. Pourtant, Laurent ne s'intéressa pas au Walther P99. Il sonda la poche intérieure et trouva le petit étui de cuir renfermant son insigne. Il écarquilla les yeux en le contemplant avec une admiration presque enfantine.

– Cette médaille est une décoration d'honneur. C'est la fierté de votre profession. Pourquoi ne pas l'agrafer à votre veste?

Laurent prit un ton accusateur. Le cœur de Vincent battait la chamade. Il se demandait s'il allait réussir à s'en sortir.

– Où est votre uniforme? grogna Laurent.

La tension grimpait. Vincent devait donner une réponse.

– Il est soigneusement rangé chez moi. Si vous me détachez, j'irai vous le chercher.

Vincent espérait ne pas avoir commis une erreur. Cet homme était fou, mais il aurait eu tort de le croire stupide.

– Dans l'exercice de ses fonctions, un homme devrait toujours porter son uniforme. Même si vous avez votre médaille sur vous, votre conduite est inacceptable.

Laurent passa à côté de l'inspecteur pour se rendre à l'évier. Sur le comptoir, il écarta des assiettes sales et des cartons de plats congelés vides. Du coin de l'œil, Vincent le vit récupérer un gros couteau à viande.

Un signal d'alerte explosa dans sa tête. Il devait réagir.

Vincent se leva. Chancelant, il faillit tomber en se retournant, mais il parvint à rester en équilibre. Il perdit de précieuses secondes et il eut peur de s'être compromis. Il crut que Laurent allait se retourner pour lui trancher la gorge. Mais l'homme continuait de lui tourner le dos, ignorant les bruits que Vincent avait produits en se levant. Il se contentait de fixer le couteau avec fascination. C'était maintenant ou jamais.

Poussant un cri bestial, Vincent s'élança en pivotant pour frapper Laurent de toutes ses forces avec le revers de la chaise. Un craquement sec retentit sous l'impact. Laurent poussa un cri guttural en s'effondrant. Vincent partit en sens inverse et s'écrasa trois mètres plus loin en tombant sur le dos. La chaise en bois céda sous son poids. Ébranlé, il tarda à remettre les choses en perspective. Le dossier s'était rompu, permettant à Vincent de se défaire de ses liens. Mais il avait de la difficulté à bouger; le choc avait provoqué une onde de douleur qui ralentissait ses mouvements. Tout près, un grognement plaintif s'éleva. Laurent retrouvait ses esprits. L'inspecteur n'était pas encore tiré d'affaire.

Vincent essaya de se relever, mais il n'arriva qu'à bouger mollement. Son corps refusait de coopérer, ses mouvements étaient lents. Les dents serrées, il émit un sifflement de rage comme pour éveiller ses membres dolents. Des gouttes de sueur perlaient à son front. Il toussa, maculant son menton de filets de salive. En réalisant qu'il n'aurait pas le temps de se relever et de fuir, Vincent plongea la main dans sa veste pour récupérer son pistolet. Péniblement, il arriva à dégainer le Walther P99. Le poids de l'arme était décuplé dans sa main fébrile et il eut beaucoup de difficulté à la soulever.

L'inspecteur était persuadé que Laurent allait fondre sur lui d'un moment à l'autre. Lorsqu'il arriva à faire pivoter son corps, il constata avec effroi que son agresseur s'était relevé. Plutôt que de l'attaquer, Laurent s'était rapproché du couloir. Leurs regards se croisèrent. Vincent vit la peur dans ses yeux. À ce moment, Laurent ressemblait davantage à un animal effarouché qu'à un prédateur dangereux. Il battit en retraite en s'engouffrant dans le couloir avant que Vincent puisse pointer son arme sur lui. Si Laurent avait voulu l'attaquer, il aurait probablement réussi à le désarmer.

Laurent traversa le couloir à grandes enjambées et se rua à l'extérieur par la porte d'entrée. À l'exception d'un boitillement, il ne paraissait pas indisposé par le coup que Vincent lui avait porté.

L'inspecteur laissa retomber lourdement son arme sur le sol. Il avait l'impression d'avoir tenu un bloc de ciment. Il roula sur le dos. Les morceaux de chaise brisée provoquèrent de nouvelles douleurs. Il avait l'impression d'être étendu sur des fragments de verre. Il grimaça et n'osa plus bouger pour ne pas aggraver ses blessures. Des points noirs dansaient devant ses yeux comme des nuées d'insectes.

Vincent se demanda si un voisin avait signalé le bruit à la police. C'était possible, mais il n'était pas judicieux d'attendre. Laurent risquait de revenir et il ne pouvait pas rester dans cet état de vulnérabilité. Il tenta un hurlement, mais sa voix atone ne risquait pas d'attirer l'attention. Malgré le danger, son cerveau fonctionnait au ralenti. Les paupières étaient lourdes et le corps épuisé exigeait le sommeil. Vincent voulut rouler de nouveau sur la chaise brisée pour que la douleur le tienne éveillé, mais il n'avait plus de force. Un voile de ténèbres se tissait devant ses yeux. Il perdit conscience.

Chapitre 19

Kerri avait réussi à devancer Vincent.

Depuis sa voiture garée de l'autre côté de la rue de l'immeuble délabré, il avait vu l'inspecteur s'engouffrer dans l'appartement de Laurent Hudson. Un bon moment s'était écoulé. Intuitivement, il était certain que quelque chose n'allait pas. Kerri ne pouvait toutefois se résoudre à intervenir. Il ne devait pas être là et Vincent ne devait pas savoir qu'il l'épiait dans son enquête. Il se montra donc patient en attendant la suite des événements. Ce qui suivit s'avéra bien différent de tout ce qu'il avait pu imaginer.

Un homme habillé d'un survêtement militaire sortit de l'appartement. Il descendit rapidement l'escalier en colimaçon pour regagner le trottoir. Il boitait légèrement, ce qui ne l'empêcha pas d'accélérer le pas en lançant des regards nerveux par-dessus son épaule.

Personne d'autre n'apparut; aucun signe de Vincent. Kerri avait une très bonne idée de ce qui s'était passé. À ce stade, il décida d'intervenir. Il sortit de sa voiture et traversa la rue. Il se lança dans le sillon du fuyard en gardant une bonne distance entre eux pour ne pas éveiller de soupçons.

Sa silhouette était mince, son corps filiforme flottait dans son survêtement et il avait un béret vissé sur la tête. Son accoutrement était parfait pour attirer l'attention.

L'homme avait cessé de jeter des regards inquiets. Ou bien il était certain d'avoir distancé Vincent, ou bien il ne voulait pas donner l'impression d'être suivi. Il adopta une démarche chancelante qui fit disparaître son boitillement. On aurait dit un bohème qui déambulait sur le trottoir pour se donner en spectacle. Il n'affichait plus aucune vigilance, ce qui paraissait étonnant s'il sortait d'une altercation avec Vincent. C'était Kerri maintenant qui jetait des regards par-dessus son épaule afin de vérifier si l'inspecteur n'était pas derrière eux. Il ne le vit nulle part parmi les piétons peu nombreux qui circulaient sur le trottoir. C'était mieux ainsi.

En échappant à Vincent, cet homme avait fui une justice clémente comparativement à ce que Kerri allait lui faire subir. À condition, bien sûr, qu'il ait quelque chose à voir dans la mort d'Alexandre. Bien qu'il vît mal ce clown nonchalant avoir le dessus sur un membre de la SQ, Kerri était persuadé qu'une altercation avait eu lieu dans l'appartement. Il demeurait sur ses gardes, supputant que cette allure insouciante dissimulait peut-être une ruse.

Kerri pressa le pas. Il n'était plus qu'à deux mètres de la silhouette. Les battements de son cœur s'accélérèrent. Il se sentait fébrile, excité par la confrontation inéluctable. Lorsqu'il fut à un mètre, Kerri étira le bras pour atteindre l'épaule du fuyard.

Pendant un instant, on aurait dit que les lois de la physique étaient bafouées, le temps retenant son souffle. Les sons furent déformés et sans cohérence. Les couleurs s'altérèrent peu à peu pour tisser une toile criarde et mordorée. Les contours se figèrent dans une profondeur de pierre.

Dès que Kerri toucha à Laurent, le décompte du temps reprit son cours normal. Il le força à se retourner pour lui faire face. Laurent n'opposa pas de résistance et n'essaya pas de se dégager pour prendre la fuite. Toutefois, il ne resta pas docile bien longtemps. Il profita du geste de Kerri pour se donner un élan et diriger un coup de poing au visage du policier. Mais Kerri fut plus rapide. En esquivant l'attaque, il répliqua en le frappant à la gorge avec la paume de la main. Suffoquant, Laurent recula et son corps se plia en deux.

Autour de lui, le policier entendit l'aboiement d'un chien ainsi qu'un cri suraigu. Des bruits lointains se dissolvaient dans la violence qui venait de sévir. Le soleil réapparut, bousculant les nuages comme un spectateur voulant assister à l'altercation.

Promptement, Kerri retira son Walther P99 de son étui. Courbé, Laurent s'efforçait toujours de retrouver son souffle en poussant des râles. Kerri attrapa son arme par le canon et abattit l'extrémité de la crosse sur l'épaule de Laurent au niveau du muscle deltoïde droit. Un peu plus à gauche, le coup lui aurait brisé la clavicule. Laurent émit un grognement. Il vacilla, mais parvint à rester en équilibre. Son visage était crispé de douleur.

Bien qu'exalté et impatient de poursuivre son châtiment, Kerri n'ignorait pas la curiosité et l'effroi des piétons autour de lui. Il n'était pas en uniforme et il s'attaquait à un individu qui portait un survêtement militaire. Il y avait peu de chance pour qu'un étranger intervienne pour les séparer, mais quelqu'un pouvait prendre l'initiative d'appeler la police. Kerri allait avoir besoin d'un endroit plus discret pour soumettre l'homme à un interrogatoire rigoureux.

À la droite du policier se trouvait un immeuble d'habitations. Soudain, la porte du rez-de-chaussée s'ouvrit et une femme dans la soixantaine apparut. Elle tourna le dos à Kerri pendant qu'elle verrouillait sa porte.

C'était une occasion rêvée. Kerri ne perdit pas une seconde. Il cria à la femme de s'arrêter et il empoigna Laurent par la taille pour le forcer à le suivre. La vieille dame fit volte-face pour dévisager Kerri avec appréhension. Sa réaction était légitime puisque l'allure des deux hommes n'avait rien pour inspirer la confiance. Kerri s'immobilisa à cinq mètres de la dame et parla d'une voix forte pour couvrir les gémissements de Laurent.

— Police. Est-ce qu'il y a quelqu'un chez vous?

Elle lui jeta un regard interloqué, comme s'il s'était adressé à elle dans une langue étrangère.

— Y a-t-il quelqu'un à l'intérieur? répéta-t-il sur un ton pressant.

La femme sursauta; on aurait dit qu'elle avait reçu une gifle.

– Il n'y a que moi... Je veux dire... je vis seule.

Elle s'exprimait d'une voix morne, sans aucune nuance de personnalité. C'était parfait; elle risquait d'être facile à convaincre.

– Écoutez, j'ai besoin de votre aide. Je vais devoir réquisitionner votre domicile.

L'attention de Kerri était partagée. D'une part, il s'efforçait de se montrer persuasif et crédible pour gagner la confiance de la vieille femme, d'autre part il restait alerte au cas où Laurent retrouverait ses esprits pour l'attaquer. La femme secoua légèrement son visage ridé dans un signe de négation à peine perceptible. Kerri crut comprendre: son domicile était son sanctuaire. Elle ne devait pas avoir l'habitude de laisser entrer des gens chez elle et encore moins des inconnus. Si Kerri lui donnait le choix, cette femme risquait de s'obstiner, et il n'avait pas de temps à perdre. Il n'était pas question de se lancer à la recherche d'un autre abri. Il devait imposer sa requête plutôt que de lancer un débat.

– Cet homme est un criminel dangereux. Ses complices sont à notre recherche et je ne peux pas prendre le risque que nous soyons repérés. Il est impératif que nous nous cachions.

Kerri aurait pu écarter la femme et pénétrer de force dans son domicile, mais, devant des témoins, il préférait faire valoir son argument par la négociation.

Sa requête avait fait vieillir la femme de dix

ans. Elle avait le visage creusé par l'incertitude. Elle ressemblait à un petit arbuste rabougri et desséché. Le policier craignit une réaction comme celle d'un animal acculé qui défend son territoire. Il s'attendait à être bombardé d'une myriade de questions. Pourquoi le suspect n'avait-il pas de menottes? Pourquoi était-il habillé comme un militaire? Allait-elle exiger de Kerri des preuves d'identité? Mais elle ne posa aucune question. Elle continuait d'évaluer la requête, partagée entre son devoir civil et ses contraintes personnelles.

– C'est une question de vie ou de mort, déclara Kerri pour venir à bout de l'indécision de la vieille femme.

Résignée, elle déverrouilla la porte de son appartement. Kerri n'attendit pas qu'elle change d'idée. Il se dirigea vers la porte en forçant Laurent à avancer. Ils traversèrent une petite allée bordée de géraniums et de plants ornementaux soigneusement entretenus.

Le policier remarqua que la vieille femme était dépassée par les événements. Elle arborait une expression d'accablement comme si son univers venait de s'écrouler. Avant d'atteindre la porte, il lança:

– Partez loin d'ici et essayez d'appeler la police.

Les forces de l'ordre allaient devoir être contactées; alors, à ce stade, aussi bien que la requête vienne de lui.

– Je peux le faire d'ici, répliqua-t-elle. J'ai un téléphone dans l'entrée.

Il ne s'attendait pas à une réponse, croyant la vieille femme plongée dans un mutisme profond.

— Pas question. Cet homme est beaucoup trop dangereux. Je ne pourrais pas assurer votre sécurité si vous entrez avec moi. Je ne veux pas prendre de risques. Trouvez un téléphone ailleurs et faites vite.

La vieille femme s'écarta pour les laisser passer. Juste avant qu'ils ne franchissent l'embrasure de la porte, elle déclara :

— La police ne se presse pas pour venir dans le coin.

Kerri tourna la tête de biais pour l'observer. Cette femme commençait sérieusement à l'agacer.

— Dites-leur que vous craignez pour la sécurité d'un enfant. Croyez-moi, ils feront vite.

La femme lui jeta un regard horrifié.

— Est-ce que c'est vrai? Est-ce qu'un enfant est vraiment en danger?

Kerri lui adressa un sourire malicieux.

— Tant que cet homme est en liberté, tout le monde est en danger.

Cette perspective l'horrifia et décomposa ses traits. Finalement, elle tourna les talons, au grand plaisir de Kerri. Il poussa Laurent devant lui et referma bruyamment la porte.

L'appartement donnait directement sur une grande cuisine aux couleurs pastel de style rétro. Le papier peint illustrait des arcanes moirées qui ressemblaient à des arcs-en-ciel. Les meubles et les appareils électroménagers vétustes respiraient la nostalgie.

Kerri tira une chaise de la table de cuisine et

força sans ménagement l'homme à s'asseoir. Laurent retrouvait ses esprits. Il avait le visage crispé de douleur et se massait l'épaule. Il grogna et toussota. Le Walther P99 à la main, Kerri dut se faire violence pour ne pas céder à ses pulsions et lui infliger de nouvelles blessures. Il devait d'abord vérifier si cet homme était impliqué dans le meurtre d'Alexandre.

– Quel est ton nom? demanda le policier sur un ton glacial.

Laurent fixa Kerri. Il ne lui dit pas son nom et ne voulut pas savoir où il était.

– Je suis un colonel d'infanterie, articula-t-il en grimaçant de douleur.

Il posa les mains sur la table. Amusé par le regard intransigeant du policier, il éclata d'un rire strident. Kerri ne tarda pas à réagir. Vif comme l'éclair, il bondit et abattit la crosse de son arme sur la main droite de Laurent. Un craquement sec se fit entendre. Laurent hurla. Il recula sur sa chaise et balança son corps dans un mouvement de va-et-vient en gémissant.

– Je t'ai demandé ton nom!

La voix de Kerri était acerbe, aussi tranchante qu'une lame de couteau. Il se rapprocha pour plaquer le canon de son arme sur la joue de Laurent qui tourna la tête vers le Walther P99. Le canon s'enfonça davantage dans sa joue. Malgré les sévices infligés par le policier, Laurent continuait à le défier. C'était une invitation à laquelle Kerri n'allait pas se dérober. Il l'attrapa par les cheveux et accentua la pression avec son arme jusqu'à le faire crier.

— Ton nom! tonna-t-il.

Cet homme était peut-être fou, mais il devait comprendre les risques qu'il prenait en refusant de coopérer. Pour l'en persuader, Kerri ajouta :

— Si tu me fais encore répéter, je tire.

L'homme hésita, avant de finalement déclarer :

— Laurent Hudson.

Il avait parlé avec rancœur et indifférence. La peur n'avait pas encore fait tomber ses défenses.

— Bon, tu fais des progrès, fit le policier en éloignant son arme.

Laurent avait la joue meurtrie.

— Je te conseille d'écouter attentivement la prochaine question, poursuivit Kerri. As-tu quelque chose à voir avec la mort d'Alexandre Verne?

— Qui? demanda-t-il avec une authentique expression de stupéfaction.

Sans quitter Laurent des yeux, Kerri sortit une photo de la poche arrière de son pantalon. Il la coinça dans la paume de sa main gauche pour la montrer à Laurent.

— Est-ce que tu connais cet homme?

Les pupilles de Laurent dansaient follement. Il étudia la photo un instant, avant de reporter son attention sur Kerri. Un filet de sang glissa sur son front. Plutôt que de livrer une réponse cohérente, il adressa un sourire niais au policier. Kerri perçut la défaite dans ce sourire; non pas celle de Laurent, mais la sienne. Une certitude qu'il n'obtiendrait plus rien de lui. Quelques secondes plus tôt, Kerri avait cru l'avoir raisonné en lui faisant dire son nom. Il croyait lui avoir fait comprendre que sa vie était en péril s'il le défiait. Mais cette étincelle de lucidité s'était évanouie. Laurent s'était réfugié dans son délire et ses yeux brillaient d'un dangereux fanatisme. Kerri se risqua néanmoins :

– Es-tu impliqué dans le meurtre d'Alexandre Verne?

Laurent le nargua du regard. Kerri savait qu'il était inutile de le frapper davantage. Il se demanda si cet homme pouvait être sous l'effet d'une drogue, mais il en doutait. C'était la folie qui lui dilatait les yeux; Laurent avait très bien pu s'en prendre à Vincent sans être impliqué dans l'assassinat de son partenaire.

Le policier essaya une dernière fois en déployant toute son agressivité. Il transforma sa question en accusation.

– Pourquoi as-tu tué Alexandre?

Le rire de Laurent cessa net. Son visage se détendit. Allait-il finalement avouer?

– Parce que ce n'était pas un bon soldat, dit-il en regardant Kerri droit dans les yeux.

Laurent cherchait à le provoquer. Le policier fut submergé par la colère. Il se retourna.

Kerri se sentit agressé par le décor de la petite cuisine : un environnement beaucoup trop doux et délicat pour châtier Laurent. Il aurait préféré un lieu plus sombre, comme une ruelle déserte sous une pluie battante. Des murs de briques détrempés, un sol fissuré et constellé de fragments de verre, une faible lumière blafarde générée par la lune pour éclairer le visage ensanglanté de

Laurent: voilà ce qui aurait convenu. Kerri aurait disposé de tout son temps pour faire durer l'agonie. Il aurait été un geôlier sadique au point que Laurent aurait accueilli la mort comme une délivrance. Mais le temps jouait contre lui. L'idée d'une justice rapide ne lui plaisait pas, mais c'était déjà mieux que de le remettre aux autorités. En ne sachant pas si Laurent était coupable ou innocent, Kerri ne prendrait pas de risques en le laissant en vie.

Pendant que le policier détournait son attention, Laurent en profita. Il se leva avec une rapidité surprenante. Sa chaise bascula au moment où il tendait le bras gauche pour saisir une fourchette qui traînait sur le comptoir de la cuisine. Il pivota aussitôt pour atteindre Kerri au visage. Mais Laurent n'arriva pas à surprendre le policier qui esquiva l'attaque en reculant. Dans son élan, Laurent s'affala sur la table. Kerri lui attrapa le bras pour lui tordre le poignet. L'ustensile tomba dans un tintement sur le carrelage. Le policier frappa son vis-à-vis au nez avec le revers de son arme. Laurent s'écroula sur le sol. Kerri le roua de coups de pied. Après avoir enclenché le cran de sûreté de son Walther P99 pour ne pas qu'un coup de feu soit tiré par inadvertance, il le ceintura pour le soulever et l'asseoir sur la chaise. À l'exception de quelques grognements, Laurent n'opposa aucune résistance.

Kerri recula et braqua son arme en retirant le cran de sûreté. Un abondant filet de sang s'écoulait du nez éclaté de Laurent. Les yeux révulsés, il gémissait.

Soudain, un vacarme explosa au-dessus de leurs têtes. Une voix en colère venait du plafond, ponctuée par une série de cognements. Apparemment, son petit interrogatoire avait provoqué l'exaspération des voisins du haut. Il imagina un homme âgé au visage écarlate martelant le plancher avec un balai pour faire connaître son mécontentement. Ironiquement, Kerri songea que ce voisin n'avait pas tort et qu'il était temps de mettre un terme à toute cette agitation.

Au loin, il entendit les sirènes qui se rapprochaient en enflant comme le hululement de rapaces monstrueux. La vieille femme avait fait vite.

Le regard de Kerri était froid et impitoyable. Il fit remonter une balle dans la culasse de son arme, rabattit le chien et visa Laurent. Il serrait la crosse du pistolet à s'en blanchir les jointures. Que cet homme soit impliqué ou non dans la mort d'Alexandre ne changeait plus rien puisqu'il avait manqué sa chance de s'innocenter.

Laurent remua sur sa chaise. Le bruit des sirènes le faisait sortir de sa torpeur. Il se permit un espoir en songeant que les renforts policiers arrivaient pour lui. Mais ce cortège tapageur représentait bien plus la fatalité qu'une promesse de secours.

– Je ne sais pas si tu es impliqué ou non dans le meurtre d'Alexandre. Cet homme comptait beaucoup pour moi et je ne veux pas prendre le risque de te laisser en vie. Je connais ton nom et j'ai vu ton visage. Si tu as quelque chose à voir dans ce meurtre, je finirai par le savoir et justice sera faite aujourd'hui. Dans le cas contraire, tu n'auras été qu'une victime se trouvant au mauvais endroit au mauvais moment.

Kerri tira deux balles qui se logèrent dans la bouche de Laurent. Sa mâchoire fut déchiquetée, explosant dans un geyser de sang et de fragments sanguinolents. Le corps bascula sur le sol.

Le policier voulait donner l'impression qu'il avait fait feu alors que Laurent se ruait sur lui, le privant d'un tir de qualité. Il tira aussi une balle au sol entre sa position et celle du corps pour faire croire à un avertissement. Il rangea son arme.

Kerri prit une profonde respiration. Il était conscient que ce meurtre allait lui poser des problèmes. Il ne devait pas se trouver ici, et son implication avait tout d'une vengeance personnelle. Mais Laurent lui avait facilité la tâche en laissant ses empreintes sur l'ustensile qui reposait toujours sur le sol. Kerri pouvait compter sur Alphonse pour lui nuire, mais il pouvait aussi s'en sortir sans trop de problèmes.

Les sirènes indiquaient que les voitures étaient tout près. Des pneus crissèrent. Des portières claquèrent.

Kerri sortit de l'appartement pour accueillir les policiers.

Chapitre 20

Lorsque les services d'urgence firent irruption dans l'appartement de Laurent Hudson, Vincent venait de reprendre connaissance. Au moindre mouvement, des douleurs exacerbées se répercutaient dans tout son corps. Toutefois, il refusa d'être conduit à l'hôpital. Le coup de casserole qu'il avait reçu à la tête semblait plus sérieux, mais Vincent s'efforça d'en faire abstraction.

Il fut ramené au Quartier général et services centraux de la SQ par un collègue et ne tarda pas à se retrouver dans le bureau d'Émery. Son supérieur désirait l'envoyer chez lui. Vincent se rembrunit en déclarant qu'il avait eu son lot d'attentions pour aujourd'hui. Émery n'insista pas, mais il conseilla néanmoins à Vincent de se rendre à une clinique prochainement pour passer des examens.

– Comment est-ce que vous m'avez retrouvé? Est-ce que c'est Aaron qui vous a dit où j'étais?

– Laurent est mort, dit Émery.

La nouvelle eut l'effet d'une bombe.

– Quoi? fit Vincent, ahuri.

Émery lui raconta ce qu'il savait. Un policier du nom de Kerri Aubrey avait pris Laurent en filature sur le trottoir. Il avait réussi à le coincer dans un appartement. Les services d'urgence avaient été contactés, mais, incapable de contenir Laurent, Kerri avait dû l'abattre.

– Qu'est-ce que ce policier faisait là?

– J'ai l'impression qu'il te filait.

– Pourquoi cet homme m'aurait-il suivi? demanda Vincent avec circonspection.

– Parce que Kerri était le partenaire d'Alexandre.

Vincent resta sans mots. Voilà une tournure à laquelle il ne s'attendait pas.

– Est-ce qu'il était en service? demanda Vincent.

Émery haussa les épaules.

– Je ne sais pas, mais il ne travaille pas au PDQ d'Hochelaga-Maisonneuve. J'imagine qu'il doit présentement rendre des comptes à son commandant et que nous pourrons consulter le rapport qui expliquera sa conduite.

Vincent ne savait trop quoi penser. Il était clair que ce policier avait eu accès au développement de l'enquête et qu'il était intervenu pour se venger. Toutefois, Vincent n'ignorait pas que l'écart de conduite de Kerri lui avait peut-être sauvé la vie. Qui sait ce que Laurent lui aurait fait en revenant à son appartement et en le trouvant inconscient. Pour le reste, il était facile de se perdre en conjectures, et Vincent préférait attendre le rapport qui détaillerait les actions de Kerri.

L'inspecteur écrasa le sac de glace sur son

front. La morsure du froid était agréable, engourdissant les élancements qui lui taraudaient le crâne. Sa tête était comme une caisse de résonance qui amplifiait la douleur chaque fois qu'il entendait un bruit.

Émery lui fit part du reste des renseignements qu'il avait glanés avant son arrivée. Pendant que Vincent quittait le quartier Hochelaga-Maisonneuve, des enquêteurs avaient fouillé l'appartement de Laurent. Ils n'avaient pas tardé à faire une troublante découverte. Dans la chambre, derrière une porte coulissante, s'alignait une impressionnante collection d'habits. Des uniformes prestigieux qui auraient pu appartenir à des soldats défunts ou à des policiers haut gradés. Les insignes et les plaques frappées de différents noms donnaient du poids à cette hypothèse. Certains vêtements dégageaient une odeur désagréable, emplissant la chambre de miasmes.

Vincent fut traversé d'un frisson. Il imagina Laurent scrutant les rubriques nécrologiques des journaux, à la recherche d'officiers militaires ou de policiers décédés dans l'exercice de leurs fonctions. Il le voyait retourner quelques jours après les obsèques sur les lieux de la sépulture pour s'approprier l'habit et la gloire du défunt.

Lorsque Vincent émit cette supposition, Émery resta perplexe.

– Tu crois réellement que cet homme aurait exhumé des corps pour garnir sa collection?

– Ce ne sera pas difficile à vérifier. Que les officiers soient morts ou vivants, les noms sur les insignes suffiront à retracer les propriétaires de ces vêtements.

Émery afficha une mine renfrognée. Il haussa les épaules.

– Si ce malade a vraiment pillé des cimetières, nous ne devrions pas avoir de difficulté à obtenir l'autorisation de «creuser» ton hypothèse. Nous pourrons aussi consulter les archives de journaux pour vérifier si des cas de pillage ont été rapportés dans le passé. Au moment où on se parle, des techniciens en scènes de crime doivent ratisser tout l'appartement de Laurent.

La sonnerie du téléphone retentit. Émery décocha un regard noir à l'appareil et Vincent crut qu'il allait abattre son poing pour le faire taire. Il décrocha avec impatience, répondit brièvement et sur un ton bourru.

Pendant ce temps, Aaron frappa à la porte du bureau et s'y engagea avant d'être convié à entrer.

– J'ai entendu raconter ce qui s'est passé, inspecteur! lança-t-il d'emblée. Est-ce que ça va?

Vincent poussa un soupir d'impatience. Il espérait ne pas avoir à rassurer toutes les personnes qu'il allait croiser. Il leva une main pour faire signe que tout allait bien.

– Je voulais vous dire que j'ai fait des recherches dans nos archives informatiques pour vérifier si des rituels...

L'inspecteur le coupa.

– Pas maintenant!

L'autre allait insister, mais le regard sévère de Vincent lui fit comprendre qu'il était préférable de remettre cette discussion à plus tard. Aaron recula et disparut en négligeant de bien refermer la porte derrière lui. L'instant d'après, alors qu'Émery était toujours au téléphone, Manson Creek se posta dans l'embrasure. Lorsque Vincent s'en aperçut, il détourna les yeux pour ne pas avoir à la regarder. Elle devait ressembler à une gamine espiègle s'approchant à pas feutrés d'un jouet brisé pour le détailler avec cruauté.

– Comment te sens-tu? demanda-t-elle.

Vincent songea à la stupéfaction d'Aaron lorsqu'il avait assisté aux échanges acérés entre lui et Manson. Il se rappelait sa mise en garde concernant l'escalade du conflit entre eux. En ce moment, il n'était pas disposé à entendre les sarcasmes de Manson et il n'aurait pas cru se rendre compte de la sagesse de ce conseil aussi rapidement. Pourtant, elle venait de s'exprimer avec une voix douce et attentionnée.

– Pas si mal, mais j'ai déjà été en meilleure forme. Pourquoi? Tu souhaites m'achever?

– J'ai cru comprendre que les choses se sont mal passées à Hochelaga-Maisonneuve. Je voulais juste te dire que je suis heureuse que tu sois ici plutôt qu'à l'urgence.

Son ton était dénué d'ironie et, bien que ce témoignage d'empathie ne lui ressemblât pas, Vincent préféra se laisser convaincre par sa sincérité plutôt que de la remettre en question.

– Merci! fit-il sur un ton plus morne qu'il ne l'aurait souhaité.

– Bon, je ne suis pas loin. Tu peux me faire signe si tu as besoin de quelque chose.

Vincent se tourna vers Manson. Il s'attendait à découvrir un sourire narquois et un regard moqueur. À sa grande surprise, elle affichait une expression avenante. À quand remontait la dernière fois où elle s'était montrée aussi sympathique? Elle ne cherchait pas à profiter de la situation en critiquant et en narguant Vincent. C'était curieux et presque dommage qu'il eût à traverser un événement aussi éprouvant pour retrouver la bonté qui habitait Manson. Pourquoi cette attention aujourd'hui? Lorsqu'elle était venue le voir à son bureau, tout portait à croire que rien n'allait jamais changer entre eux. Elle s'éclipsa en refermant la porte, laissant Vincent perplexe. Il eût cru qu'elle aurait lancé une remarque caustique invitant à l'animosité avant de partir, mais tel n'avait pas été le cas. L'inspecteur restait bouche bée et ne savait plus quoi penser. Il se demandait comment Manson allait se comporter à leur prochaine rencontre. Aurait-elle retrouvé sa froideur habituelle avec ses déclarations percutantes ou souhaitait-elle revenir à une relation plus détendue entre eux, comme autrefois? Il pouvait s'attendre à tout avec elle. Toutefois, elle venait de faire preuve de plus de sincérité que Vincent aurait pu en attendre et il aurait eu tort de chercher à dénigrer son geste.

Émery abrégea la communication et raccrocha d'un geste sec.

— Excuse-moi, fit-il avec une grimace.

— Ce n'est rien. Je sais que vos responsabilités ne se limitent pas à mon affaire.

Émery allait répondre lorsqu'on frappa à la porte.

– Quoi encore, maugréa-t-il. Entrez!

Un jeune homme au regard nerveux apparut.

– Il est arrivé.

– Déjà! répliqua Émery, surpris. Très bien. Laissez la porte ouverte et conduisez-le dans mon bureau.

Le jeune homme acquiesça et disparut prestement.

Le directeur était visiblement tendu. Vincent ne se rappelait pas la dernière fois qu'il avait vu Émery aussi agité.

– De qui s'agit-il? demanda-t-il.

– Nous allons recevoir la visite du psychiatre de Laurent.

Émery fouilla parmi les papiers sur son bureau pour retrouver une feuille gribouillée.

– Il s'appelle Victor Landèle, enchaîna-t-il. Je me suis entretenu avec lui au téléphone un peu plus tôt et il a demandé à nous rencontrer.

Ce fut au tour de Vincent d'être étonné.

– Vous avez réussi à joindre le psychiatre de Laurent aussi rapidement?

– Crois-le ou non, mais ta mésaventure dans le quartier Hochelaga-Maisonneuve a déjà fait la manchette. Le psychiatre a vu la nouvelle et il nous a appelés aussitôt. C'était vingt minutes avant que tu arrives. C'est à croire qu'il n'habite pas très loin.

La rapidité et la soif de sensationnalisme des médias ne cessaient d'étonner Vincent.

– Il vous a dit ce qu'il voulait?

– Non. Au téléphone, j'ai eu l'impression de parler avec un avocat plutôt qu'avec un psychiatre. Je crois qu'il veut assurer ses arrières et protéger sa réputation plutôt que de contribuer à notre enquête.

Le directeur haussa les épaules et poursuivit:

– C'est du moins l'impression qu'il m'a donnée. Cet homme monopolisait la conversation et il était évident qu'il va nous aborder avec une idée bien précise. Mais il se peut qu'il ait aussi des informations pertinentes à nous communiquer.

À cet instant, le psychiatre entra dans le bureau sans frapper. On aurait dit qu'il travaillait dans l'établissement et qu'Émery était son grand ami, l'habitude ayant depuis longtemps balayé les formalités de courtoisie entre eux. Il tendit le bras et échangea une ferme poignée de main avec Émery et Vincent.

Le psychiatre avait les cheveux blonds gominés. Il portait des lunettes en écaille avec des verres épais. Ses sourcils étaient minces et si pâles qu'ils paraissaient avoir été rasés. L'homme se déplaçait avec des gestes secs qui distillaient froideur et autorité.

Victor s'assit. Avant qu'une seule question ne lui soit adressée, il se lança dans un discours élaboré sur son patient. D'emblée, les allusions d'Émery s'avérèrent fondées: Victor cherchait indiscutablement à protéger sa réputation. Il affichait un large sourire sans chaleur.

– Mon patient a longtemps été suivi pour des problèmes psychiatriques. Au fil des ans, durant son internement, il a montré des progrès concluants qui lui ont valu une réinsertion en société. Par contre, il devait continuer à prendre ses médicaments.

Le psychiatre marqua une pause comme pour forcer les deux hommes à l'écouter plus attentivement.

– Il est presque certain que Laurent a volontairement arrêté sa médication. Même dans ces conditions, j'ai du mal à croire que sa réaction ait été aussi excessive. Avec ses antécédents, rien ne laissait présumer un comportement violent. Comme je vous l'ai dit, compte tenu de ses progrès, Laurent méritait de réintégrer la société. Le seul aspect qui m'agaçait, c'était qu'il vivait seul et qu'il ne pouvait pas compter sur la supervision d'un proche.

– Donc il y a eu négligence de votre part? questionna Vincent.

Le but premier de sa question était d'interrompre le psychiatre.

– Je n'ai pas été imprudent. Laurent a d'abord vécu deux ans dans une famille d'hébergement et tout s'est très bien passé. Il avait mérité son autonomie et il vivait seul depuis deux ans, sans histoire.

Émery demanda:

– Si Laurent vivait seul, ne revenait-il pas à son psychiatre de s'assurer qu'il prenait les médicaments prescrits?

Le visage de Victor se crispa. Toutefois, aucune nuance de contrariété n'ébranla son timbre monocorde.

– Quatre ans se sont écoulés depuis que Laurent a quitté l'institut psychiatrique. Je l'ai suivi durant toute cette période, espaçant nos rencontres selon ses progrès.

– Quand l'avez-vous vu pour la dernière fois?

– Il y a environ deux semaines. Je n'ai rien noté d'inhabituel dans son comportement. Il a dû arrêter sa médication après notre rencontre pour une raison que j'ignore.

– À ce stade, nous ne savons pas encore si Laurent a bel et bien arrêté sa médication, précisa Émery.

Vincent se trémoussa sur son siège. Il paraissait se réveiller, émergeant des brumes du sommeil.

– Attendez une minute. Vous dites que votre patient a voulu me découper en petits morceaux avec un couteau de boucherie parce qu'il avait oublié de prendre ses aspirines?

Le psychiatre poussa un soupir de condescendance en se retournant vers Vincent.

– Quatre cents milligrammes d'Effexor et du Remeron tous les jours. Ce sont des antidépresseurs et c'est moi qui rédigeais ses prescriptions. Vérifiez la pharmacie dans l'appartement de Laurent et je suis persuadé que vous trouverez des flacons encore pleins.

– Ce qui compte, ce n'est pas ce qu'il y a dans sa pharmacie, mais dans son système, renchérit Vincent. Une analyse de toxicologie nous révélera si Laurent était ou non sous l'effet de médicaments.

Pour la première fois, le psychiatre parut hésitant. Il enchaîna en insistant sur la stabilité de son patient et sur la confiance que Laurent inspirait lors de leurs rencontres.

– Selon votre expertise, je veux savoir si les actions de Laurent vous surprennent, demanda Émery. Dans le pire des scénarios, avec ou sans médication, pouvait-il être dangereux?

Le psychiatre sortit un minuscule morceau de tissu de sa poche de chemise pour nettoyer ses lunettes. Un geste purement hautain qui, plutôt que de lui donner du pouvoir, le rendait encore plus impersonnel. Il s'exprima à voix haute comme s'il s'adressait à un auditoire.

– Étant donné les antécédents de Laurent, je dois dire qu'il était peu probable que sa conduite dégénère en pure violence. Vous devriez interroger le policier qui l'a abattu. Je suis certain qu'il a paniqué.

Vincent s'énerva. Il frappa des mains pour attirer l'attention du psychiatre.

– J'étais là, doc, et je peux vous dire que votre patient n'était pas un enfant de chœur. Je comprends que vous vouliez sauver votre peau, mais ce n'est pas en jetant le blâme sur les autres que vous y arriverez.

Victor ne releva pas la remarque. Émery intervint:

– Est-ce que Laurent s'est déjà attaqué à quelqu'un lorsqu'il était interné sous votre supervision?

– Il n'a jamais été impliqué dans un événement grave. Nous avions des cas beaucoup plus sérieux.

La réponse était peu explicite et elle contournait la question.

– Et que faites-vous de l'altercation pendant laquelle il a agressé un homme dans un bar, voilà quatre ans? s'enquit Vincent.

Victor répondit promptement comme s'il s'attendait à cette confrontation.

– Aucune charge n'a été retenue contre lui. Si vous voulez mon opinion, Laurent a été incriminé à tort. Il a été avant tout une victime et non un coupable dans cette histoire.

– Vraiment? railla Vincent.

Voulant obtenir une réponse franche du psychiatre, l'inspecteur s'efforça de mettre son ressentiment de côté pour ne pas le vexer davantage.

– Nous pensons que votre patient pourrait être impliqué dans un crime survenu récemment où un policier a été assassiné. Est-ce que Laurent aurait été capable de préméditer un crime? Était-il suffisamment organisé pour planifier un homicide en se servant d'une autre personne qui avait aussi des problèmes de comportement?

Le psychiatre eut une moue d'indifférence, comme si les questions de Vincent n'avaient aucun sens. Plutôt que de donner une réponse simple, Victor se lança dans un laïus ampoulé. Ses termes gagnèrent en complexité et son discours devint beaucoup trop lourd au goût de Vincent. Il cessa d'y prêter attention. Ses pensées divaguèrent et il pressa le sac de glace sur sa tête pour atténuer ses douleurs lancinantes.

À son tour, Émery se lassa très vite du ton fastidieux du psychiatre. D'abord, il ponctua les affirmations de Victor avec de grands signes de tête pour se donner une contenance. Ensuite, il manifesta son indifférence en détournant son attention dans le but d'accélérer la conversation. La litanie du psychiatre s'éternisait.

– Je terminerais en disant qu'aucun psychiatre ne peut prévoir l'avenir et certifier hors de tout doute qu'un patient n'aura pas de rechute. C'est la même chose pour un juge qui ne peut pas prédire la conduite d'un criminel une fois qu'il aura purgé sa sentence.

Vincent devait admettre que Victor n'avait pas tort sur ce point. Apparemment satisfait de son discours, le psychiatre annonça son départ après avoir regardé sa montre. Il affirmait avoir des engagements à respecter. Les deux hommes n'allaient pas le retenir. Vincent se contenta de le saluer d'un geste de la tête; Émery lui serra la main par pure formalité.

– Quel con! fit-il après que le psychiatre eut claqué la porte. C'est ce qu'on appelle aller au-devant des coups.

– Tu avais raison, approuva Vincent. Cet homme était ici pour protéger ses arrières.

– Tu crois qu'il nous cache quelque chose?

– Je ne sais pas.

Émery se mordit la lèvre inférieure. Ce fut à ce moment que la sonnerie du téléphone retentit à nouveau.

– On peut dire que tu es populaire. Je te laisse.

Vincent se leva et prit congé.

Heureusement pour lui, peu de gens occupaient l'étage et personne ne l'aborda pour s'enquérir de sa condition. Il appréciait l'empathie, mais il n'était pas d'humeur à discuter pour l'instant. La glace avait considérablement fondu, laissant tomber de fines gouttelettes. Bien qu'il ait refusé de se rendre à l'hôpital, Vincent allait au moins rentrer chez lui pour prendre un peu de repos. Ensuite, il verrait si une visite à l'urgence s'avérait nécessaire.

Il regagna sa voiture. Il aurait aimé se détacher de l'enquête pendant un moment, mais il en était incapable. Il pouvait difficilement croire que Laurent ait pu fonctionner en société pendant quatre ans sans jamais inquiéter son psychiatre. Vincent avait rencontré un être asocial et dangereux. Pourquoi Laurent s'en était-il pris à lui aujourd'hui? Cette agression aurait pu confirmer son implication dans le meurtre d'Alexandre, mais Vincent n'y croyait tout simplement pas. En supposant qu'il ait arrêté sa médication et que son état de santé se soit détérioré, quelle aurait pu être son influence sur Pierre? Comment expliquer qu'il ait pu faire de Pierre son complice? Avait-il employé la menace pour le persuader?

Vincent secoua la tête. C'était démentiel. Pourtant, après avoir eu affaire à Laurent, il ne doutait pas de sa capacité à inspirer la peur. Paradoxalement, il était difficile de prêter une machination élaborée à un homme dont les affabulations le poussaient à incarner un officier militaire. Peut-être qu'il n'existait aucun lien entre Laurent et Pierre dans cette affaire.

Alors que Vincent n'était plus qu'à quelques minutes de son domicile, son cellulaire sonna. Lorsqu'il décrocha, la voix flûtée d'Aaron Royer lui apprit qu'un nouveau feu avait été signalé dans le secteur d'Outremont. D'après ses informations, on comptait deux victimes.

Les poils sur les bras de Vincent se hérissèrent comme si la température ambiante venait de chuter de plusieurs degrés.

– Les victimes ont-elles été identifiées?

Vincent avait la gorge nouée.

– L'identité des corps reste à confirmer, mais un voisin a été interrogé. La résidence appartient à un certain Jérémy Frégeault. C'est un biologiste qui travaille dans un centre de recherche et développement à Montréal. Apparemment, il vivait seul. Une Mazda MX-6 beige est garée devant sa résidence. Grâce à la plaque minéralogique, nous savons que la voiture appartient à un dénommé Yannick Bérubé.

La voix d'Aaron distillait un mélange d'excitation et d'embarras.

Immobilisé à un carrefour, Vincent prit conscience que le feu était passé au vert après qu'un automobiliste impatient eut klaxonné derrière. Il accéléra rapidement.

– Qu'as-tu appris d'autre?

– Ben... je n'aurais pas appelé si ce n'était que de l'incendie, mais c'est à cause de la voiture.

Aaron s'interrompit. Il était préoccupé, et le

silence qui se prolongeait fit perdre patience à Vincent.

– Je t'écoute! le pressa-t-il.

– Dans la Mazda, on a retrouvé des boules de mercure près des grilles du système de ventilation.

Chapitre 21

Les volets étaient tirés comme pour mettre le soleil au défi d'enter. Une froideur palpable envahissait la pièce exiguë. Mais elle n'affectait pas Kerri qui restait calme. Il aurait pu afficher une attitude faussement stoïque, mais il ne tenait pas à accroître la tension. Son visage était impénétrable. Devant lui, Alphonse Roberge le dévisageait sévèrement. Sous une contenance professionnelle, sa colère demeurait perceptible.

Kerri n'avait pas cherché à se cacher. Il s'était aussitôt dirigé vers son PDQ après les événements qui avaient entraîné la mort de Laurent. Peu après, il était convoqué au bureau de son commandant; la nouvelle avait circulé rapidement. Sachant que la confrontation était inévitable, Kerri n'avait pas tardé. Il n'avait pas été surpris que la pièce soit plongée dans la pénombre : un effet théâtral tout à fait à l'image d'Alphonse, mais sans impact sur Kerri.

Après que le policier eut fini de raconter son histoire, son commandant manifesta des signes d'impatience malgré son désir de rester calme. Des signes furtifs, mais bien réels, comme de petites fissures éclatant dans un barrage sur le point de céder. Quant à Kerri, il gardait la même expression impassible depuis qu'il avait mis les pieds dans le bureau.

— Répétez-moi ce que vous faisiez dans le quartier Hochelaga-Maisonneuve et les circonstances qui vous ont amené à intervenir.

Alphonse s'exprimait sans complaisance.

— J'étais chez moi. J'avais demandé quelques jours de congé pour me remettre de la mort d'Alexandre. Lorsque je suis sorti, j'ai trouvé un message gribouillé sur le pare-brise de ma voiture. Quelqu'un avait écrit le nom et l'adresse de Laurent Hudson ainsi qu'un autre mot : coupable.

— Alexandre s'est fait tuer par Pierre Denis.

— En apparence, mais vous conviendrez que cette affaire est peu commune et qu'elle n'est pas encore résolue.

— Et vous croyez avoir fait avancer cette enquête en éliminant Laurent Hudson?

— Je ne sais pas. Je n'avais pas l'intention d'abattre quelqu'un aujourd'hui.

Alphonse poussa un soupir de mépris.

— Ainsi, un visiteur anonyme vous a laissé un message sur votre pare-brise. Je suppose que cette preuve a disparu.

— La pluie l'a effacée.

— Évidemment! railla Alphonse.

C'était ce que Kerri avait trouvé de mieux : un message gribouillé sur sa voiture que la pluie avait fait disparaître. Une histoire peu probable, mais qui n'était pas impossible puisqu'il y avait bel et bien eu une fine averse dans le courant de l'après-midi, à l'heure même où Kerri avait quitté son domicile. De toute façon, aucun mensonge ne suffirait à convaincre Alphonse qui avait déjà des idées préconçues sur les motivations de Kerri.

— Avec quoi le message a-t-il été écrit?

— Je ne sais pas. Les lettres étaient rouges. Peut-être du rouge à lèvres.

Alphonse échappa un rire sardonique.

— C'est donc une femme qui est passée chez vous?

— Je n'ai pas dit ça. J'ai dit que le message aurait pu être écrit avec un tube de rouge à lèvres, mais c'était peut-être autre chose.

— Vous n'avez pas d'idées sur l'identité de ce mystérieux visiteur?

— Aucune.

— Vous auriez pu prendre une photo, dit Alphonse.

— Ça ne m'est pas venu à l'esprit. Je ne suis pas un technicien en scènes de crime. D'ailleurs, le message aurait pu être une mauvaise plaisanterie.

— Mais vous avez quand même voulu vérifier.

Kerri haussa les épaules.

— On ne sait jamais.

Alphonse laissa s'intercaler un court silence.

— Continuez, ordonna-t-il.

— Il était environ midi lorsque je me suis retrouvé devant l'adresse de Laurent Hudson. Je venais de garer ma voiture et de couper le moteur lorsque j'ai aperçu un homme qui s'enfuyait.

En vérité, Kerri était arrivé une heure plus tôt. Il n'allait pas dire à Alphonse qu'il avait patienté devant l'immeuble de Laurent.

— Pourquoi l'avoir pris en chasse? Un homme a le droit de courir.

— Il nuisait à l'ordre public. Je ne savais pas encore qu'il s'agissait de Laurent. Je suis sorti de ma voiture et je me suis lancé à sa poursuite. L'homme paraissait blessé à une hanche, il boitait et c'est ce qui m'a permis de le rattraper. Il m'a attaqué dès que je l'ai approché. Il est vite devenu extrêmement dangereux et j'ai dû employer la force pour le maîtriser.

— Vous n'aviez pas votre téléphone cellulaire?

— Je l'avais oublié dans ma voiture.

— Je vois. Pourquoi avoir réquisitionné le domicile d'une vieille femme? Pourquoi ne pas lui avoir demandé de passer l'appel de chez elle pendant que vous surveilliez le suspect?

— Laurent était beaucoup trop instable. Je ne voulais pas exposer cette dame au danger.

— Je ne vous savais pas aussi consciencieux.

— Je n'ai fait que mettre en pratique votre discours préféré: assurer la sécurité des citoyens.

Alphonse hocha la tête sans conviction.

— Si cet homme était aussi instable, pourquoi ne pas lui avoir passé les menottes?

— Elles étaient chez moi. Je ne pensais pas en avoir besoin.

— Mais vous aviez votre arme?

— Et mon insigne. Je ne savais pas ce qui m'attendait.

— Au contraire, on dirait que vous aviez pris exactement ce dont vous aviez besoin. C'est Laurent Hudson qui ne savait pas ce qui l'attendait. C'est une bonne chose que vous ayez été encore plus dangereux que lui, sinon il aurait pu avoir le dessus sur vous.

Kerri ne releva pas le sarcasme. N'eût été du ton sarcastique, il aurait pu croire que son supérieur lui adressait un compliment.

– Laurent ne m'a pas donné le choix. Je l'ai frappé à l'épaule, à la main et au nez dans l'espoir de le maîtriser, mais ce ne fut pas suffisant. Sa dernière attaque dans la cuisine indiquait clairement des intentions meurtrières. J'ai tiré un coup de feu d'avertissement, mais il l'a ignoré. J'ai dû prendre une décision.

– Vous avez tué un homme en lui tirant deux balles dans la mâchoire parce qu'il vous a menacé avec une fourchette? Vous lui auriez crevé les yeux s'il avait pris une cuillère? Pensez-vous que nous devrions, comme pour les armes à feu, exiger des permis pour les personnes qui possèdent de l'argenterie?

Alphonse demeurait sérieux, ce qui donnait à ses railleries un ton encore plus sinistre.

– On peut tuer quelqu'un avec un simple stylo. Cet homme représentait une menace et je crois que Vincent Auger serait d'accord avec moi.

– Comment avez-vous su qu'un membre de la SQ avait été blessé par Laurent?

– Je l'ai découvert après avoir envoyé des policiers à son appartement.

Alphonse tourna le dos à Kerri. Il en avait assez.

– Vous me prenez réellement pour un con! tonna-t-il.

– Dois-je répondre?

Plutôt que de s'emporter, Alphonse ignora la remarque.

— Votre histoire n'a aucun sens, mais je ne peux pas encore prouver que vous me mentez. Pour l'instant. Une enquête sera menée. Nous verrons si les dépositions des témoins qui ont assisté à l'altercation confirment votre version.

Kerri ne broncha pas. Les soi-disant témoins ne l'inquiétaient pas. Peu de gens avaient assisté à l'affrontement sur le trottoir et quelques témoignages décousus ne risquaient pas de lui nuire. Personne ne l'avait vu abattre Laurent et c'était tout ce qui comptait. Comme s'il venait de détecter le sentiment de triomphe du policier, Alphonse se retourna pour éructer une kyrielle de paroles acerbes.

— Vous avez probablement eu de l'aide à la SQ pour devancer Vincent Auger. Je sais que vous me cachez quelque chose et pas seulement dans cette histoire. Je vais vous dire ce que je pense : votre soif de vengeance a fait que Pierre Denis ne vous suffisait pas comme coupable. Il vous fallait quelqu'un de vivant à punir. En ce qui me concerne, cette histoire était déjà terminée alors que Laurent Hudson vivait encore.

Alphonse s'était immobilisé devant Kerri et il pointait son index sur lui de façon menaçante. Les lèvres du policier formèrent un sourire narquois qui fit enrager Alphonse.

— Quoi? aboya-t-il.

— Rien! Je me demandais quand exactement j'étais devenu une obsession pour vous?

Alphonse lança un regard de défi à Kerri.

– Ne jouez pas avec moi. Cette histoire s'ajoute à vos autres secrets. Vous avez toutes les raisons d'être nerveux en ce moment. Votre chance finira par tourner et, un jour, je ferai un exemple disciplinaire avec vous.

Le commandant se tenait si près que Kerri pouvait sentir le souffle de sa respiration.

– Disparaissez de ma vue, fit Alphonse avec ressentiment.

Le policier sortit du bureau.

En sachant qu'Alexandre avait été vengé, Kerri se souciait peu de ses déboires avec son supérieur. À condition bien sûr que Laurent soit bel et bien impliqué. Il allait devoir en savoir davantage sur lui, mais ce ne serait pas facile avec Alphonse sur le dos. Son commandant allait probablement épier chacun de ses gestes au poste. Kerri allait encore devoir solliciter les services de Barrie pour obtenir plus d'informations sur Laurent, et cette solution aussi serait peut-être risquée. Il ne croyait pas être sous écoute électronique, mais un faux pas de sa part et Alphonse pourrait en faire la requête sans risquer qu'elle lui soit refusée.

Malgré tout, Kerri considérait que son commandant avait peu de chance d'arriver à lui nuire. Il ne devait pas se montrer imprudent pour autant et il aurait eu tort de sous-estimer sa détermination. Alphonse devait aussi faire attention. Kerri était respecté et il serait très mal vu qu'un jeune commandant entache à tort la réputation d'un bon policier sans disposer de preuves irréfutables contre lui. De plus, l'honnêteté de son supérieur allait lui servir puisqu'il ne commettrait rien d'illégal dans le but de l'incriminer.

À ce stade, le policier était presque certain qu'Édouard et ses hommes n'étaient pas impliqués dans la mort d'Alexandre. La confiance entre eux avait peut-être été ébranlée, mais Kerri devait faire en sorte qu'elle ne soit pas perdue. Édouard lui avait justement téléphoné quelques minutes avant son entretien avec Alphonse. Il voulait le rencontrer dans sa maison située dans les Cantons-de-l'Est. Édouard ne lui avait pas caché que tous les membres du petit réseau devenaient nerveux. Kerri lui avait fièrement annoncé que la situation était sous contrôle. Il avait promis de le rejoindre et de lui expliquer dès qu'il en aurait terminé au poste.

Dehors, un vent frais soufflait. Une ceinture de nuages occultait la lumière comme une muraille grise se dressant contre le soleil.

Kerri traversa le stationnement pour regagner sa voiture. Une fois derrière le volant, il passa en revue les différentes chaînes de radio. Il s'arrêta sur un poste qui diffusait une musique électronique. Guitares lourdes, rythme agressif, voix distordues: un mélange violent, parfait pour Kerri.

À deux coins de rue du poste, Raphaël épiait la voiture de Kerri. En la voyant sortir du stationnement, il appuya sur une touche de recomposition sur son cellulaire. Quelqu'un décrocha dès la première sonnerie. Raphaël dit, sur un ton calme:

– Il vient de partir.

Puis, il raccrocha.

Chapitre 22

Il était 14h45 lorsque Kerri quitta le pont Champlain pour filer sur l'autoroute 10 au volant de sa vieille Porsche 911. La circulation n'était pas encore dense, mais dans quelques minutes la route serait bloquée et embouteillée sur plus d'un kilomètre à partir du pont.

Il éteignit la radio et sortit son cellulaire au moment où il dépassait la sortie du boulevard Taschereau. Barrie décrocha à la troisième sonnerie.

– C'est Kerri. As-tu appris du nouveau sur Laurent Hudson?

Kerri entendit un fond sonore bruyant s'apaiser graduellement, indiquant que Barrie passait d'une pièce occupée à un endroit plus isolé. Les voix tonitruantes se réduisirent à un murmure avant de s'évanouir.

– Excuse-moi. J'ai changé de local. Bon, je n'ai pas réussi à apprendre grand-chose, mais je sais que ce gars a un casier judiciaire pour une agression commise il y a quatre ans. Il aurait brisé la mâchoire d'un homme dans un bar.

Kerri pesa ces informations. Si Laurent avait un casier judiciaire, le recours à la légitime défense se justifiait davantage. Il n'aurait pas été surpris qu'Alphonse ait bénéficié de ces informations et qu'il ait préféré se taire pour ne pas accorder le moindre avantage à Kerri. Son supérieur avait voulu le tester en vérifiant comment il se comporterait sous la pression et l'intimidation. Comme Kerri ne s'était pas laissé manœuvrer, Alphonse avait dû le laisser partir.

— Est-ce que tu as parlé à Laurent? s'enquit Barrie.

Kerri sourit.

— On peut dire ça.

Apparemment, la nouvelle de sa mort n'était pas encore parvenue jusqu'à Barrie. Il lui résuma ce qui s'était passé en se basant sur la version qu'il avait rapportée à Alphonse. Kerri était persuadé que son cellulaire n'était pas sur écoute, mais il préférait ne pas prendre de risque. Il livrait déjà suffisamment d'informations compromettantes en discutant avec Barrie.

— Plusieurs preuves corroborent mon histoire et Alphonse ne pourra pas la déformer pour m'incriminer, conclut Kerri.

— Bon sang, dit Barrie, abasourdi. Tu ne fais pas les choses à moitié. Es-tu certain que Laurent était impliqué? Il se pourrait qu'Alexandre se soit fait tuer par un malade. Fin de l'histoire.

— Je ne sais pas si Laurent ou quelqu'un d'autre était impliqué, mais Pierre avait forcément un motif pour s'enlever la vie et prendre celle d'Alexandre. Je dois savoir s'il y a d'autres enjeux et si Pierre a agi seul.

Kerri songea à son réseau de méthamphétamines. Il avait d'abord cru que ses partenaires avaient orchestré le meurtre d'Alexandre, mais les récents événements le poussaient à croire que cette hypothèse n'était plus valide. C'était une observation que Kerri ne pouvait toutefois pas mentionner à Barrie, et surtout pas au téléphone.

Barrie était digne de confiance, mais il était inutile de lui offrir une chance de se compromettre. Il ne connaissait pas l'existence du réseau, et lui faire part de ce renseignement lui aurait procuré un pouvoir de chantage que Kerri ne voulait donner à personne.

– Est-ce que tu sais si Pierre et Laurent se connaissaient?

– Je ne sais pas. Laisse-moi un peu de temps et je vérifierai.

– D'accord. Tu as fait de l'excellent travail. Je ne l'oublierai pas.

– C'est tout naturel, répondit Barrie dans un murmure comme s'il redoutait d'être entendu. Une dernière chose: est-ce que tu crois que nos communications pourraient être retracées?

Kerri comprit parfaitement la portée de cette question. Si cette histoire venait à mal tourner, Barrie ne voulait pas être éclaboussé. Son inquiétude était légitime. Kerri n'avait pas mentionné que les affaires internes enquêtaient sur lui pour ne pas rendre Barrie nerveux, mais il était fort probable que l'information ait circulé jusqu'à lui. Plutôt que de débattre de ce que Barrie savait ou croyait savoir, Kerri s'efforça de le rassurer.

— Ne t'en fais pas. Je suis très reconnaissant pour ce que tu as fait et ce que tu fais encore. Si ma démarche entraîne des conséquences fâcheuses, sois assuré que j'en prendrai l'entière responsabilité.

Cette réponse parut satisfaire Barrie. Il promit à Kerri de le rappeler dès qu'il aurait du nouveau et raccrocha.

La circulation commença à ralentir sur l'autoroute 10. Kerri maugréa et plissa les yeux. Plus loin, un semi-remorque était immobilisé sur l'accotement. Le conducteur avait activé ses feux de détresse. Le camion occupait plus de la moitié de la voie de droite. Sa position forçait les automobilistes à le contourner, convertissant deux voies de circulation en une seule. Kerri fut contraint de réduire sa vitesse à cinquante kilomètres à l'heure. Il ne porta pas attention au Peterbilt noir derrière lui.

Le policier ouvrit la radio à nouveau. Il passa à travers les différentes chaînes à la recherche d'une musique électronique similaire à la précédente. Il s'arrêta sur un bulletin de nouvelles alors qu'une voix masculine flegmatique parlait d'un incendie à Outremont. Kerri allait changer de chaîne lorsqu'il capta l'adresse exacte de la tragédie. Il fut sidéré. Il connaissait cet endroit: c'était la résidence de Jérémy Frégeault. C'était impossible.

Ce fut à ce moment qu'un violent choc secoua sa voiture. Jurant, Kerri regarda dans son rétroviseur. Au-delà de la vitre arrière, il ne voyait que la calandre chromée du Peterbilt.

– Qu'est-ce que...?

L'idée d'un accident fut la première qui s'imposa à son esprit. Mais, un deuxième choc retentit avant que Kerri ait eu le temps de maudire le conducteur du camion. La collision avait été encore plus brutale et confirmait les intentions malveillantes du chauffeur. Le troisième impact fut suivi d'un déchirement de tôle assourdissant. Le policier fut violemment secoué. Il eut le souffle coupé, et la courroie de sa ceinture de sécurité lui laboura l'épaule. Le rugissement du moteur enflait tandis que le Peterbilt s'acharnait à emboutir la Porsche.

Pris de panique, Kerri n'arriva pas à organiser ses pensées. Il se sentait comme un animal sur le point d'être broyé dans sa cage. Il devait vite trouver une solution.

Il essaya de freiner. Les pneus mordirent l'asphalte, crissant et libérant une traînée de fumée sans ralentir l'élan du Peterbilt. Il tenta d'accélérer, mais la voiture rivée au mastodonte refusa de décoller. Le pare-chocs arrière paraissait soudé à la calandre. Pied au plancher, Kerri, malgré ses efforts, arrivait à peine à tourner le volant. Il ne parvint pas à détacher la voiture. Le Peterbilt poussait la Porsche comme si elle avait été un jouet. Kerri leva les yeux et il comprit les intentions du conducteur qui étaient de le pousser contre le camion immobile pour l'écraser. Le piège était tendu et Kerri n'avait aucun moyen d'y échapper. Moins de deux cents mètres avant l'impact.

La situation se détériora encore. Le moteur de la Porsche cala. Kerri arriva à redémarrer. Il avait perdu cependant de précieuses secondes. De toutes ses forces, il essaya de tourner le volant à gauche, mais la voiture refusa de se libérer. Il risquait de percuter un véhicule en marche s'il parvenait à se dégager, mais il n'avait pas le choix. Les voitures devant lui s'étaient rangées dans la voie de gauche pour rejoindre le flot de la circulation, libérant la route au Peterbilt et à sa prise.

Le grondement du moteur se mêla au bruit strident du pare-chocs broyé. La tôle comprimée fit éclater la vitre arrière. Kerri tourna le volant dans une dernière tentative pour détacher sa voiture. Ce fut en vain; rien n'arrivait à l'écarter de sa trajectoire mortelle. Plus que quelques mètres. Impuissant, il se mit à hurler, les yeux écarquillés de terreur.

Puis, arriva le choc, et le devant de la voiture fut démoli. Les vitres latérales éclatèrent. Sous l'impact, les glissières du siège de Kerri basculèrent vers l'arrière, ce qui lui évita d'être écrasé sur le volant.

À ce moment, le flot d'adrénaline qui courait dans ses veines occulta son blocage mental engendré par la peur, et l'instinct prit le dessus sur la pensée. Il poussa le bouton de sa ceinture de sécurité qui, heureusement pour lui, n'était pas bloqué.

Les tôles déchirées et le verre pulvérisé émettaient un vacarme assourdissant. Kerri regarda par la vitre éclatée. S'il ne s'échappait pas immédiatement, sa voiture allait devenir son tombeau. Promptement, il s'extirpa par la fenêtre brisée du côté passager. Il recula sur le bas-côté de la route en s'efforçant de garder son équilibre au moment où sa voiture était comprimée. Le vacarme de sa destruction couvrit le grondement vainqueur du Peterbilt. Kerri n'aurait pas survécu à ce dernier assaut s'il était resté dans la voiture.

À travers la vitre teintée du semi-remorque, Kerri discerna la silhouette du conducteur. Le grondement du moteur fut entrecoupé alors qu'il enclenchait la marche arrière.

Ébranlé, Kerri tarda à réagir. Puis, il s'anima. Ses gestes s'enchaînaient avec une rapidité et une précision surprenantes. Il souleva l'attache de son étui et dégaina son Walther P99. Il visa à deux mains et tira. Dès qu'elle traversa la vitre, la balle se logea directement dans la tête du conducteur. Deuxième tir. La balle suivit la même trajectoire que la précédente comme si elle était attachée à son sillon.

Kerri distingua le soubresaut du conducteur avant qu'il ne s'affale sur le volant. Comme les commandes avaient été abandonnées, le moteur cala, poussant un sifflement qui ressemblait à un soupir de dragon. La chute du premier monstre fit paniquer le second. L'autre semi-remorque amorça son départ comme un gibier traqué détalant à toute vitesse. La carcasse de la Porsche broyée se détacha facilement du camion qui n'eut pas à s'embarrasser de ce poids mort.

Kerri visa la portière droite du semi-remorque et tira. Il fit éclater le rétroviseur latéral. Après trois tirs, il baissa son arme. Il ne pourrait pas atteindre le conducteur de l'angle où il se tenait. Inutile de se lancer à la poursuite du camion qui s'éloignait rapidement: Kerri ne pourrait pas obtenir un tir de qualité en courant. Le conducteur appuyait rageusement sur le klaxon pour obliger les automobilistes à lui céder le passage. D'autres klaxons hurlèrent et des pneus crissèrent, mais le semi-remorque put regagner le trafic sans causer d'accidents. Le vrombissement du moteur diminuait à mesure qu'il s'éloignait et qu'il prenait de la vitesse.

Kerri reporta son attention sur sa voiture tassée contre la calandre du Peterbilt. Le véhicule ressemblait à un insecte mécanique écrasé par un géant. Le policier fixa un instant son attention sur le trafic.

L'accident engendrait diverses réactions de la part des automobilistes qui circulaient. Certains conducteurs jetaient des coups d'œil furtifs, comme s'ils craignaient d'être impliqués en démontrant trop de curiosité. D'autres lançaient des regards de stupéfaction à Kerri. De jeunes enfants se massèrent contre la vitre arrière d'une camionnette. Ils ouvraient de grands yeux espiègles et ne pouvaient contenir leur excitation à la vue de la voiture détruite.

Kerri tourna le dos à la circulation. Il toucha son épaule, sentant la morsure laissée par sa ceinture de sécurité. La courroie lui avait probablement sauvé la vie en l'empêchant de se fracasser la tête sur le tableau de bord. Il regarda ses paumes. Il s'était fait quelques entailles superficielles en sortant de sa voiture. Kerri passa ses mains sur son corps et ne distingua aucun saignement alarmant. En se tâtant le visage, il remarqua une coupure à son front, mais c'était aussi une blessure superficielle. À part son épaule meurtrie, Kerri ne ressentait aucune douleur vive. Il n'avait pas non plus l'impression de combattre un déclin de facultés. Il savait que son calme contribuait à ralentir ses saignements et que l'adrénaline dans son système pouvait voiler la gravité de certaines blessures. L'endorphine libérée dans son cerveau agissait comme un puissant anesthésiant et quelques heures allaient devoir s'écouler avant que Kerri puisse réellement constater les lésions physiques résultant de l'accident. Pour l'instant, ses blessures ne l'empêchaient pas de réagir à ce qui venait de se produire.

Il ne pouvait pas rester là. Des automobilistes avaient sûrement rapporté l'accident avec leur cellulaire et les secours n'allaient pas tarder. Kerri devait partir avant leur arrivée. De plus, l'heure de pointe approchait et la route serait bientôt engorgée. Kerri devait retrouver en vitesse les responsables de ce coup avant qu'ils ne récidivent. Et il savait exactement où les dénicher.

Soudain, le policier entendit une voix dans son dos. Les mots étaient si faibles qu'il crut d'abord à une erreur de perception. La voix insista et Kerri se retourna. Il découvrit une femme svelte au visage émacié et à la chevelure ramenée en chignon. Elle eut involontairement un petit mouvement de recul lorsque Kerri lui fit face. Elle chassa rapidement sa perplexité en répétant sa question :

– Avez-vous besoin d'aide?

Derrière la femme, Kerri vit une Plymouth blanche immobilisée à quelques mètres de la Porsche emboutie. La portière côté conducteur était ouverte et le moteur tournait. Il n'y avait personne d'autre dans le véhicule. C'était presque trop beau pour être vrai.

– Je vais avoir besoin de votre voiture, dit Kerri.

La femme eut un moment d'hésitation. Elle paraissait osciller entre le désir de rester et celui de déguerpir. Elle jeta un regard en direction de la circulation, mais personne d'autre ne s'était arrêté pour la seconder. Ironiquement, malgré toutes les voitures qui défilaient à proximité, elle était seule avec Kerri. Elle se retourna vers le policier et scruta longtemps son regard pour s'assurer que sa requête ne relevait pas du délire.

– Si c'est pour aller à l'hôpital, je peux vous y conduire! lança-t-elle d'une voix dépourvue d'assurance. Je peux aussi appeler le 911 et nous pouvons attendre les secours ici.

Kerri n'avait pas remarqué qu'elle tenait un téléphone cellulaire. Il s'efforça de dissimuler son arme aux yeux de la femme.

Il eut un petit moment d'angoisse en avançant d'un pas. Il redoutait de chanceler, de perdre l'équilibre, d'être confronté à l'évidence que sa condition était pire que ce qu'il voulait croire. Mais ce ne fut pas le cas; ses mouvements n'étaient teintés d'aucune fébrilité.

— Pas besoin de votre téléphone, dit-il en se rapprochant. La voiture suffira.

— Je ne peux pas vous laisser ma voiture.

Sa protestation fut ponctuée par un brin de répulsion.

— Pourquoi? Vous y tenez tant que ça?

La réponse sèche de Kerri la déstabilisa.

Le policier n'avait pas de temps à perdre. Il s'immobilisa et exposa son Walther P99 en gardant le bras à la verticale de manière à ce que le canon pointe vers le sol. Une expression d'effroi se dessina sur le visage de la femme lorsqu'elle vit l'arme. Elle devait sûrement regretter ses bonnes intentions.

— Je suis policier, lança Kerri pour ne pas aggraver la tension. Je dois absolument réquisitionner votre voiture pour répondre à une urgence.

Il passa devant la femme qui l'observait sans bouger. Elle était figée par la peur.

— Vous n'avez pas de papiers sur vous? hasarda-t-elle d'une voix hésitante.

Elle parut regretter sa question lorsque Kerri se retourna. Il ne put s'empêcher de lui sourire. Une lueur de malice brillait dans ses yeux.

— Mes papiers sont quelque part dans ma voiture. Libre à vous de les retrouver si le cœur vous en dit.

Chapitre 23

Francis Holand était très nerveux lorsqu'il pénétra dans un dépanneur pour acheter un briquet. Il avait l'impression que les gens pouvaient deviner ce qu'il s'apprêtait à faire en le regardant. Sa profession de chimiste chevronné et son poste de directeur général au Centre Mariebourg étaient des titres qui ne pouvaient pas l'aider à ce moment à rebâtir sa confiance. Au comptoir, ses mains tremblaient tellement qu'il échappa sa monnaie. Plutôt que de la récupérer, il sortit prestement sous le regard perplexe du commis qui le dévisageait comme s'il avait affaire à un drogué. De nouveaux clients entraient lorsqu'il passa la porte. Francis les bouscula sans s'excuser.

Derrière le volant de sa voiture, il ferma les yeux et prit de profondes respirations pour se calmer. Ensuite, il conduisit dans un état second, ne gardant aucun souvenir des routes qu'il empruntait. Bientôt, il immobilisa sa voiture dans l'arrière-cour de son ancienne résidence. Sa nervosité réapparut et, cette fois, il ne put l'endiguer avec de grandes respirations.

Cette maison était autrefois chargée de souvenirs heureux. Des souvenirs qui se teintaient aujourd'hui d'amertume et de regret. Francis revoyait son ancienne épouse, Olivia. Des cheveux auburn cascadant sur ses épaules, un sourire radieux, des yeux angéliques: elle était si belle! Un portrait fabuleux qui évoquait dorénavant la trahison; une lame que le temps n'avait fait qu'enfoncer plus profondément dans son cœur. Même le souvenir du rire candide d'Olivia lui renvoyait un écho triste. Tout avait changé et plus rien ne serait comme avant.

Francis avait mal interprété la franchise de son épouse et il s'était mépris sur son amour. Il avait été trompé, incapable de décoder ses mensonges dans leur intimité. Pourtant, il l'aimait toujours et il se méprisait de ne pas arriver à l'oublier. Francis n'était plus qu'une coquille vide, une marionnette articulée par la vengeance. Son âme était morte ou, du moins, elle allait définitivement l'être aujourd'hui.

Il sortit de sa voiture. Il ouvrit la valise et récupéra une grosse pierre et un bidon d'essence. Avec un couteau à la lame effilée, il avait percé un trou béant à la surface du bidon. Les effluves d'essence lui donnaient mal à la tête. Une partie de son être l'implorait de partir avant de commettre l'irréparable. Il ne pouvait plus reculer. Il n'arrivait plus à supporter sa douleur. Il était venu pour affirmer son amour.

Francis gagna l'arrière de la maison, s'approcha de la porte-fenêtre coulissante et ferma les yeux. Il lança la pierre, et la vitre éclata dans un fracas retentissant. Le chimiste fit irruption dans la maison.

Qu'était-il devenu?

Francis avançait dans l'obscurité, mais il n'avait aucune difficulté à s'orienter: il avait habité ce domicile suffisamment longtemps pour le connaître de fond en comble. Il ne tarda pas à trouver la chambre. Un rai de lumière au bas de la porte close indiquait qu'une lampe venait d'être allumée. Lorsqu'il tendit la main vers la poignée, la porte s'ouvrit et Olivia lui fit face.

Interloquée, elle fronça les sourcils. Même s'il avait appréhendé cette rencontre, Francis fut submergé par la passion. Il ne put retenir ses larmes. Il était déchiré entre l'amour et la colère comme la tempête et l'accalmie se fondant dans un seul instant. Les poings serrés, il posa un regard tendre sur Olivia. Il s'attarda sur ses lèvres qui se crispèrent alors qu'elle formulait nerveusement une question. Francis ne l'entendit pas. Chaque battement de son cœur secouait tout son corps, et son exaltation le plongeait dans un univers velouté. Il était prêt.

Il leva le bidon d'essence.

Le visage d'Olivia se figea dans une expression d'effroi. Ce fut au tour du chimiste d'ouvrir la bouche: «Je t'aime», dit-il sur un ton à peine audible. Il espérait qu'elle l'entende et qu'elle réalise que ses sentiments à son égard n'avaient jamais changé.

Il aspergea le corps d'Olivia. Elle se cambra et chercha à s'éloigner. Francis avança. Les yeux d'Olivia se colorèrent de terreur lorsqu'elle fixa la flamme du briquet. Au moment où le feu enveloppait Olivia, tout s'arrêta et la scène fut avalée par le néant.

Le corps en sueur, Francis se réveilla dans un sursaut. Il cria et se débattit avec les couvertures dans son lit. De ses mouvements désarticulés, on aurait dit qu'il essayait de repousser une colonie d'insectes. Son agitation prit de telles proportions qu'il tomba sur le sol. Il se releva et se débarrassa des couvertures en jurant.

Les secondes s'écoulèrent, effilochant les pans de son rêve. Par contre, la dernière image du songe resta imprégnée dans sa mémoire. Francis tomba à genoux en gémissant. La dernière image gravée dans son esprit était celle d'Olivia dévorée par les flammes. Un portrait déchirant et, surtout, l'aveu d'un crime épouvantable.

Quelle heure était-il? Il consulta sa montre. 15 h 08.

Il s'était bourré de somnifères pour ne pas être éveillé lorsque surviendrait le crime. Cela n'avait pas été suffisant, le remords le tirant abruptement de son sommeil. « Qu'est-ce que j'ai fait? » bégaya-t-il entre deux halètements.

Chapitre 24

Au même moment, la résidence d'Olivia était la proie des flammes. Un voisin appela les services d'urgence. Quelques minutes plus tard, une ambulance et deux voitures de police arrivèrent sur les lieux.

Le feu couvrait déjà plus de la moitié de la maison. L'agent destructeur avait pris naissance dans une chambre et s'était répandu rapidement à cause de l'essence. Les flammes ondoyaient comme les ailes dorées d'oiseaux qui essaient de prendre leur envol.

Olivia était étendue sur la pelouse devant son domicile. Ambulanciers paramédicaux et policiers se regroupèrent autour d'elle. Grièvement brûlée sur presque toute la surface de son corps, elle respirait difficilement, luttant pour inhaler des goulées d'air.

Pendant que les ambulanciers paramédicaux l'installaient avec précaution sur une civière pour la conduire de toute urgence à l'hôpital, deux policiers s'approchèrent d'un homme agenouillé quelques mètres plus loin. Lui aussi avait été blessé dans l'incendie. Son état n'était pas aussi critique que celui d'Olivia, mais il souffrait de graves brûlures aux mains. Indisposé par la fumée qu'il avait respirée, il se raclait la gorge et maculait son menton de crachats.

Une seconde ambulance arriva.

Au début, les policiers se méprirent en croyant que l'homme blessé était un voisin ou un proche qui aurait voulu porter secours à Olivia. Dans le chaos qui sévissait, personne ne comprit que c'était lui le responsable de l'incendie. Son identité fut vite révélée lorsqu'il retrouva suffisamment d'énergie pour sortir de sa torpeur. Il se releva en brandissant un long couteau qu'il était parvenu à dissimuler aux yeux de tous.

Les deux policiers ne s'attendaient pas à ce que cet homme devienne une menace. Surpris, ils reculèrent. Toutefois, ils se remirent rapidement de leur stupéfaction. L'un d'eux fit un signe à ses collègues pendant que l'autre essayait de calmer l'individu chancelant qui agitait son couteau de façon menaçante. Sentant l'étau qui se refermait sur lui, le type voulut prendre la fuite. Mais, son état était toujours précaire et il perdit l'équilibre, n'ayant pas retrouvé suffisamment de vigueur pour détaler. Les policiers en profitèrent pour se ruer sur le forcené qui fut vite maîtrisé. Peu après, l'homme perdit connaissance. Il fut conduit au Centre des grands brûlés de l'Hôtel-Dieu de Montréal sous escorte policière.

Olivia était déjà en route pour l'Hôtel-Dieu. À son arrivée, elle fut envoyée directement aux soins intensifs. Elle avait plus de la moitié du corps brûlé au troisième degré. Le côté gauche de son visage était carbonisé. Elle fut vite intubée et placée sous assistance respiratoire. Analgésiques et calmants lui furent injectés par intraveineuse ainsi que beaucoup de solutés pour compenser la perte de liquide.

Son assaillant fut également conduit en salle d'urgence, mais son état n'était pas aussi grave. Il était toujours inconscient lorsqu'un médecin se pencha sur lui pour examiner ses blessures. L'un des policiers qui avaient servi d'escorte jusqu'au Centre des grands brûlés se dirigea vers un téléphone public pour appeler la SQ.

Chapitre 25

Vincent se rendit au poste 37 sur l'avenue Laurier Est.

Dans sa voiture, il avait grimacé en contemplant son reflet dans le rétroviseur. Les ecchymoses à son visage donnaient l'impression qu'il avait perdu un rude combat de boxe. Il était toujours incommodé par des douleurs à la tête. Chose certaine, avec les récents événements liés à l'enquête, il n'avait pas l'intention de se rendre dans un hôpital pour passer une série d'examens. Il avait conscience de ne pas être au sommet de sa forme, mais il pouvait encore tenir le coup. Il aurait aimé passer chez lui pour se changer, mais le temps pressait. Dès qu'il fit irruption dans le poste, l'inspecteur fut abordé par une jeune policière.

– Vous êtes ici pour Francis Holand?

De race hispanique, teint basané, visage ovale et cheveux noirs et lisses, elle se présenta:

– Salma Guierra. C'est à moi que Francis a parlé avant de perdre conscience.

Elle parlait sans accent. Vincent estima qu'elle devait avoir entre vingt-cinq et trente ans. Elle n'était pas très grande, mais son uniforme modelait un corps athlétique. Vincent s'efforça d'ignorer ses douleurs et de se montrer amical.

— Francis est venu au poste de son plein gré?

Salma acquiesça.

— Je lui ai parlé à l'endroit exact où nous nous trouvons. Francis était très agité. Je dirais même qu'il était au bord de l'hystérie.

— Ensuite?

— Au début, je ne comprenais rien à ce qu'il racontait. Ses propos étaient incohérents. Je l'ai entraîné à l'écart et il a fini par se calmer. Il disait qu'Olivia, son ex-femme, était en danger et que nous devions la protéger. Il disait qu'elle serait brûlée vive et que son meurtrier s'immolerait comme lors des récents crimes survenus à Longueuil et à Montréal dans lesquels il se disait aussi impliqué. Il m'a donné l'adresse et le numéro de téléphone d'Olivia. J'ai essayé de l'appeler pour le rassurer, mais la ligne était occupée. Peu après, nous avons intercepté une communication rapportant que la résidence que j'essayais de joindre était en feu. Un homme et une femme avaient été grièvement brûlés. Francis s'est évanoui lorsque je lui ai annoncé la nouvelle.

— Où est-il?

— Nous lui avons fait un lit de fortune et nous l'avons placé dans une salle d'interrogatoire. Il vient tout juste de reprendre connaissance.

— Pouvez-vous me conduire à lui?

— Bien entendu. Je dois vous faire un aveu: si cet homme est réellement impliqué dans ce qui est arrivé à cette pauvre femme, j'aimerais bien lui servir une bonne correction.

Vincent fut surpris par la véhémence de Salma qui serra les poings. Il précisa:

– Croyez-moi, vous en prendre physiquement à cet homme est la dernière chose que vous devriez envisager.

Les événements survenus dans l'affaire Émilio Sanchez en faisaient un expert en la matière.

– Vous dites ça parce que je suis une femme?

– Non, parce qu'il y a des conséquences.

La jeune policière haussa les épaules.

Vincent songea à Olivia. Les souvenirs déferlèrent avec précision, cristallisant une horreur qu'il ne pourrait jamais oublier.

Environ deux heures plus tôt, alors qu'il s'apprêtait à se rendre où Jérémy Frégeault et Yannick Bérubé avaient perdu la vie, Vincent avait été mis en communication avec un policier qui appelait depuis l'Hôtel-Dieu pour lui raconter le crime contre Olivia commis par un homme également hospitalisé. Les deux incendies étaient survenus presque simultanément. Vincent ne savait plus quoi penser. La mort de Laurent Hudson n'avait apparemment pas conclu cette affaire et il était clair que d'autres parties étaient impliquées. Vincent avait évalué ses options après avoir raccroché. Plusieurs événements se bousculaient et, dans l'immédiat, il devait investir ses efforts là où il avait le plus de chance de faire progresser l'enquête. Contrairement à Jérémy Frégeault et Yannick Bérubé qui étaient morts, Olivia et son agresseur étaient toujours vivants. L'inspecteur avait décidé de se rendre au Centre des grands brûlés pour les interroger. Une fois à l'étage où Olivia était hospitalisée, Vincent s'était buté à un médecin qui avait refusé catégoriquement de le laisser s'entretenir avec elle. Vincent s'était entêté jusqu'à ce que le médecin, exaspéré, le conduise aux portes de la salle d'urgence. Le sang dans ses artères s'était glacé lorsqu'il avait constaté dans quel état se trouvait la femme. Vincent revit la chair disparue des mains et des bras calcinés et, surtout, le visage à la peau cuite et boursouflée sous le masque à oxygène. Un visage transformé à jamais par la morsure des flammes.

— Voulez-vous transférer Francis à vos bureaux? demanda Salma.

— Pas le temps. Je préfère le questionner tout de suite dans votre salle d'interrogatoire. Pouvez-vous demander à votre commandant si c'est possible?

— Ça m'étonnerait qu'il s'y oppose, mais je vais vérifier quand même. Attendez-moi ici.

— Merci!

Pendant que Salma s'éloignait, l'inspecteur songea à nouveau à son passage à l'Hôtel-Dieu.

Ne pouvant pas s'entretenir avec Olivia, Vincent n'avait pu se rabattre sur son agresseur. L'homme était toujours inconscient. Il n'avait aucun papier d'identité sur lui. Posté devant sa porte de chambre en compagnie du policier qui avait téléphoné à la SQ, l'inspecteur attendait rageusement son réveil. Sa colère grandissait à mesure que le temps filait. Il surveillait le moindre signe, comme un frémissement de paupière, annonçant son réveil. Vincent était indifférent aux brûlures de l'agresseur, prenant même un plaisir pervers à espérer qu'elles le fassent souffrir longtemps. Il avait beaucoup de questions et exigeait des réponses. Alors que l'homme n'avait toujours pas repris connaissance, son téléphone avait sonné. C'était Émery qui avait des développements à lui communiquer. Sous le regard courroucé d'une infirmière qui lui rappelait que les cellulaires n'étaient pas autorisés dans l'hôpital, Vincent s'était retiré dans une cage d'escalier pour poursuivre la conversation.

Un policier du poste 37 avait téléphoné à la SQ, et Émery avait été mis en liaison avec lui. Il lui avait raconté pour Francis Holand, qui disait être impliqué dans la série de meurtres et d'incendies sur lesquels Vincent enquêtait. L'inspecteur n'était pas convaincu de la pertinence de cette piste jusqu'à ce qu'Émery stipule que Francis avait rapporté correctement le nom de la prochaine victime. Il avait aussi parlé des boules de mercure, une information qui n'était pas encore connue des médias. Ensuite, il avait perdu conscience. Vincent avait avisé Émery qu'il quittait l'Hôtel-Dieu pour interroger le suspect. Son supérieur avait déjà pris des mesures en demandant à son interlocuteur au poste 37 de garder Francis sous observation et de ne pas le transférer dans un hôpital à moins que son état ne devienne critique. À contrecœur, Vincent avait abandonné l'agresseur d'Olivia après avoir fait promettre au policier en faction de ne pas le quitter des yeux. Il s'était précipité vers sa voiture et avait filé directement au poste 37.

Vincent avait les nerfs à vif, mais il n'éprouvait aucune inquiétude à se retrouver en face de Francis. Quoi qu'il puisse lui dire, Vincent n'allait pas perdre le contrôle et répéter l'erreur qu'il avait commise avec Émilio Sanchez.

Salma réapparut.

– Vous avez le champ libre. Seulement, mon commandant tient à ce que tout ce qui pourrait arriver à Holand relève maintenant de la SQ.

Vincent acquiesça.

– Très bien, dit Salma. Laissez-moi vous conduire à Francis. Il est à vous.

Chapitre 26

Une table et deux chaises constituaient le seul mobilier de la salle d'interrogatoire. Francis gardait la tête penchée. Il était tourmenté. Ses traits modelaient une expression de honte et de profonde angoisse. La porte de la salle s'ouvrit et Vincent entra.

Juste avant, il avait demandé à Salma de lui dénicher des photos de victimes d'incendie et de les mettre dans une chemise. Elle avait consulté les archives du poste et avait trouvé ce que Vincent souhaitait.

L'inspecteur s'assit face à Francis et posa la chemise sur la table. Ses gestes étaient précis et ne dénotaient aucune nervosité. Ce fut en remuant tranquillement les lèvres qu'il déclara calmement:

– Je vous écoute.

Il n'ajouta rien d'autre, attendant la suite.

D'abord, Francis resta amorphe. On aurait dit qu'il n'avait pas conscience de la présence de Vincent. Soudain, il éclata en sanglots et amorça son récit sur un ton repentant.

– J'étais naïf lorsque ma femme m'a quitté parce que j'étais certain qu'elle allait revenir, dit-il. Mais ce ne fut pas le cas. J'étais toujours celui qui devait appeler pour avoir de ses nouvelles. J'ai compris que tout était terminé le jour où une voix d'homme m'a répondu.

Francis secoua la tête.

– Je n'arrivais pas à croire que ma femme m'avait écarté de sa vie. Je me suis renseigné sur son nouveau conjoint et je les ai suivis lorsqu'ils étaient ensemble. Il la faisait rire aux éclats. Je ne supportais pas qu'il la rende aussi heureuse. Elle n'avait jamais ri comme ça avec moi. Ça semblait si facile pour lui alors que je n'y étais jamais parvenu. Et ce n'était qu'un chauffeur d'autobus.

Vincent restait impassible. Aucune nuance de compassion dans son regard. Il n'éprouvait pas de pitié pour Francis. Pas après avoir vu Olivia à l'hôpital. Ce n'était pas un crime de ne plus aimer et Francis aurait dû accepter sa peine plutôt que d'en faire une tragédie. Vivre sans son ancienne femme était peut-être insupportable, mais devenir le responsable de ses souffrances ou de sa mort pesait plus lourd encore. Il aurait dû savoir que le succès de sa vengeance lui serait fatal. Dans sa spirale de destruction, il avait ravagé le plus grand amour de sa vie.

Dans un autre ordre d'idées, Vincent n'arrivait pas à situer cet homme dans son enquête. Francis paraissait un rouage minuscule dans une machination bien plus grande que sa souffrance personnelle.

– Je voulais seulement qu'elle m'aime comme je l'aimais.

En balbutiant, Francis répétait son ressentiment et son incompréhension face à l'indifférence d'Olivia. Les minutes s'écoulèrent. Vincent restait patient. Tranquillement, les illusions de Francis tombèrent une à une et il mit lui-même en doute la justification de ce qu'il avait fait. Les remords prenaient le dessus. Lorsqu'il fut le plus vulnérable, Vincent se lança.

Il voulait savoir si le crime commis sur Olivia était une tragédie isolée ou s'il était relié à la série de meurtres et d'immolations qui sévissaient depuis peu. S'était-il inspiré de ces crimes pour assouvir sa vengeance? Quel était son lien avec l'homme qui s'en était pris à Olivia? Les questions de Vincent arrivaient comme des flèches qui transperçaient la fragile assurance de Francis. Sa voix se fit éraillée lorsqu'il répondit qu'il était impliqué. Avait-il des complices? Francis répondit par l'affirmative.

Le cerveau de Vincent fonctionnait à toute vitesse. Son cœur martelait sa poitrine. Il voulut des noms, mais Francis refusa de parler comme un enfant boudeur. Il dit que le diable allait le punir.

Ce fut à ce moment que Vincent se déchaîna comme un ouragan. Il se leva, fit basculer la chaise et ouvrit le dossier sur la table pour empoigner la série de clichés qu'il balança au visage de Francis. Le chimiste eut instinctivement un mouvement de recul, comme si les clichés avaient été enflammés. Ils tombèrent sur le sol, exposant des corps à la peau brûlée et des visages calcinés et méconnaissables. Le ravage des flammes sur ces photos lui renvoya l'écho de son propre crime.

Il se recroquevilla sur son siège en jetant des regards apeurés dans toutes les directions. Vincent continuait à cracher son venin. Malgré les apparences, son emportement était calculé et l'inspecteur ne risquait pas de céder à la colère et de frapper Francis.

Désemparé, celui-ci bredouilla un récit incohérent. Bousculé par Vincent qui pointait un doigt hargneux sur lui, il en vint finalement à davantage structurer ses propos.

Francis respirait difficilement. Finalement, d'une voix altérée par les sanglots, il souffla un nom.

Chapitre 27

Provenant de l'arrière de la maison, le bruit d'une vitre fracassée retentit.

David Viau posa son livre sur le bureau de sa chambre. Il prêta l'oreille.

La porte arrière de sa résidence fut ouverte, puis refermée violemment. En marchant sur des éclats de verre, la personne qui venait d'entrer ne cherchait pas à se faire discrète.

David regarda son téléphone cellulaire sur le bureau, mais il renonça à appeler la police. Personne ne pouvait lui venir en aide à temps et il allait devoir faire face seul à cette situation.

Ses mains ne tremblaient pas lorsqu'il les posa sur les roues de son fauteuil. Il quitta sa chambre pour s'engager dans le long couloir qui s'étirait d'un bout à l'autre de la maison. Il avançait sur une moquette vermillon. Des tableaux coûteux étaient accrochés aux murs dans des cadres ornés de fioritures dorées. Les contours ambrés amplifiaient la puissance des portraits. Des meubles en chêne avec des lampes coiffées d'abat-jour s'alignaient dans le couloir entre les portes de chambres closes.

Bien qu'il fût vulnérable en fauteuil roulant, David n'était pas effrayé. Il lui serait difficile de prendre la fuite et il ne le ferait même pas s'il le pouvait. Personne n'allait le chasser de sa demeure. C'était pour cette raison qu'il se dirigeait tranquillement à la rencontre de l'intrus. Il n'avait pas l'intention de se montrer stoïque ou téméraire et il gardait l'espoir d'arriver à négocier. Toutefois, ses nombreuses connaissances en psychiatrie et en psychologie ne suffiraient peut-être pas à prévenir un crime. David savait depuis longtemps que la raison n'avait pas d'emprise sur certaines personnes. De plus, un homme qui entrait par effraction avait de bonnes chances d'être nerveux et de céder à la panique. Le succès d'une discussion diplomatique n'était pas garanti. David ne représentait cependant pas une menace et il comptait miser sur son apparence pour adoucir l'intrus.

Il se rapprochait de l'arrière de sa maison. Il n'éprouvait aucune appréhension parce qu'il avait connu bien pire. Lorsqu'un médecin lui avait appris qu'il allait devoir passer le reste de sa vie dans un fauteuil roulant, David avait su ce que représentait la peur. Ce jour-là, il l'avait ressentie parce qu'il avait décidé de vivre plutôt que de mourir. Le suicide aurait été une solution séduisante pour fuir sa nouvelle réalité, mais il avait choisi de se battre et il avait dû le faire tous les jours. David connaissait très bien la peur et elle n'avait pas prise sur lui en ce moment.

En forçant la porte arrière de la maison, l'intrus avait pénétré dans un vaste salon qui débouchait sur l'extrémité du couloir que David rejoignit. Le psychiatre continua à avancer, la tête haute. Il avait presque gagné le bout du couloir lorsqu'une silhouette filiforme apparut. L'homme avançait en titubant.

Souffle rauque, cheveux ébouriffés, vêtements trempés de sueur, l'individu semblait avoir couru jusqu'à la limite de ses forces. L'avant-bras gauche et le coude ensanglantés indiquaient comment il avait fracassé la vitre. Une blessure qui paraissait mineure comparée aux graves brûlures à ses mains et à ses bras.

La silhouette fit un nouveau pas vers David qui arriva à distinguer parfaitement son visage grâce à la lumière filtrant des abat-jour.

Cet homme s'appelait Yan Juneau. Tout juste échappé de l'Hôtel-Dieu, il fixait le psychiatre avec des yeux béants.

Chapitre 28

Vincent n'arrivait pas à croire que l'agresseur d'Olivia avait pu s'échapper. L'homme s'était éveillé à un moment où le policier en faction avait déserté son poste pour se servir un café. Il avait déclenché l'alarme à incendie et réussi à s'esquiver en profitant de la confusion générale. Vincent était furieux. Pourtant, il pouvait difficilement en vouloir au policier qui, comprenant son erreur, avait essayé de s'interposer alors que l'homme prenait la fuite dans le couloir. Le fuyard lui avait brisé le nez et deux côtes.

Vincent était déjà en route vers l'Hôtel-Dieu lorsque l'alarme avait été déclenchée. Il retourna à la chambre de l'agresseur d'Olivia et traversa des couloirs où le personnel médical s'affairait à rassurer les patients encore inquiets de la fausse alerte. L'inspecteur discuta enfin avec des préposés à la sécurité de l'Hôtel-Dieu. L'homme s'était enfui en vêtement d'hôpital et avait dérobé le manteau d'un visiteur au rez-de-chaussée. Personne ne l'avait vu sortir.

Vincent poussa un soupir de lassitude. Sa tête l'élançait et il se sentait profondément frustré. Soudain, son cellulaire sonna. Il s'écarta des personnes avec qui il s'entretenait et prit de profondes respirations pour évacuer sa colère avant de décrocher.

– Bonjour, inspecteur, fit son interlocuteur. Nous nous sommes rencontrés aujourd'hui. Je suis le psychiatre David Viau.

– David Viau? dit-il en s'efforçant de retrouver un ton cordial. Que puis-je pour vous?

Ce fut à ce moment qu'une infirmière se dressa devant Vincent. Ses traits formaient une expression de colère.

– Vous ne pouvez pas vous servir de ça ici! éructa-t-elle.

Elle désigna le téléphone cellulaire de son index comme s'il s'agissait d'une chose abjecte.

Vincent soupira. C'était la deuxième fois qu'il se faisait sermonner dans un hôpital pour la même raison.

– Les signaux interfèrent avec les appareils médicaux et...

Vincent dressa la main avec exaspération pour lui faire signe qu'il avait compris. Ne voulant pas se lancer dans un débat, il se dirigea vers l'escalier avec une singulière impression de déjà-vu. Le regard sévère de l'infirmière ne le quitta pas jusqu'à ce qu'il eût disparu derrière la porte.

– Excusez-moi, monsieur Viau. Vous disiez?

La communication était entrecoupée de petits grésillements, mais elle demeurait intelligible.

– Je dois absolument vous parler. Est-ce que le nom de Yan Juneau vous dit quelque chose?

Vincent devint perplexe.

« Yan Juneau » correspondait au nom que Francis avait donné dans la salle d'interrogatoire au poste 37, affirmant qu'il s'agissait du marionnettiste responsable de la série de meurtres et d'immolations. Vincent avait téléphoné à Aaron pour lui demander de faire une recherche sur Yan, mais rien : l'homme n'avait pas de casier judiciaire.

– Yan Juneau est recherché, dit l'inspecteur. Il semblerait que cet individu soit impliqué dans l'affaire sur laquelle j'enquête. D'où tenez-vous ce nom?

Cet appel de David ne pouvait être une simple coïncidence et Vincent présuma le pire.

– L'homme que vous recherchez se trouve en face de moi.

Vincent en eut le souffle coupé.

– Je... Qu'est-ce que vous me dites?

– Yan Juneau se trouve devant moi. Il vient de s'enfuir de l'Hôtel-Dieu après avoir agressé le policier en faction devant sa chambre.

Nouveau choc cérébral.

– Mais... comment? Où êtes-vous?

– Je suis à mon domicile.

– Êtes-vous certain de l'identité de l'homme qui se trouve avec vous?

– Absolument. Yan a été mon patient autrefois. C'était il y a longtemps.

Vincent ferma les yeux. Pas de dossier criminel pour Yan, mais des antécédents psychiatriques. Si Francis et David disaient la vérité, Yan était à la fois l'artisan derrière cette affaire et l'agresseur d'Olivia. Même si plusieurs questions se bousculaient dans sa tête, Vincent s'efforça de rester concentré sur le moment présent.

— Comment vous a-t-il contacté? questionna Vincent.

— Il a forcé la porte de mon domicile. Il veut que je l'aide.

— Est-ce que votre vie est en danger?

Il y eut un bref silence.

— Pas si vous faites exactement ce que Yan attend de vous.

— C'est lui qui vous a demandé de m'appeler?

Décidément, cette affaire n'avait pas fini de le surprendre.

— Oui. Il m'a fouillé et il a trouvé votre carte dans ma poche de chemise. Il désire que vous contactiez un policier du SPVM. Il veut que vous soyez le seul intermédiaire et il est primordial pour ma sécurité que personne d'autre ne soit impliqué.

— Qu'est-ce que Yan attend de moi exactement?

Vincent trouva regrettable que David soit mêlé à cette histoire.

— Vous devez contacter un policier du nom de Kerri Aubrey et l'envoyer à mon domicile. Est-ce que vous avez encore mes coordonnées?

— Oui... balbutia Vincent. Elles sont dans mon portefeuille. Est-ce que Yan vous a dit pourquoi?

— Lui et Kerri ont des comptes à régler ensemble.

— Des comptes? répéta Vincent, abasourdi. Si Yan veut s'en prendre à Kerri, pourquoi s'est-il réfugié chez vous?

— Parce qu'il sait qu'il est recherché. Je n'habite pas très loin de l'Hôtel-Dieu et, comme Yan ne peut pas circuler dans les rues pour retrouver Kerri, il est venu se réfugier chez moi.

Un court silence suivit.

— Il y a autre chose, indiqua David. Yan tient à votre présence.

Vincent ne cessait d'être étonné.

— Il veut que j'accompagne Kerri? Il vous a dit pourquoi?

— Il se méfie de Kerri et il veut que vous veniez à titre de médiateur pour ne pas que la situation dégénère. Vous seul devez l'accompagner. Personne d'autre. Je suis désolé. Yan m'a demandé si vous étiez une personne de confiance et ma réponse a été positive. Je ne savais pas qu'il comptait vous impliquer.

— Vous n'avez pas à vous excuser. C'est vous qui ne devriez pas être mêlé à cette affaire.

Nouveau silence. Vincent était persuadé que Yan se tenait tout près de David pour filtrer la conversation. L'inspecteur poursuivit :

— Est-ce que vous pouvez me dire autre chose?

— Je vous ai dit tout ce que Yan voulait que vous sachiez. Il tenait à ce que je vous communique ses demandes. Il ne veut pas s'entretenir avec vous parce qu'il craint que vous ne tentiez de négocier avec lui.

Yan avait vu juste sur ce point. Si Vincent avait pu lui parler, il aurait demandé à ce que le psychiatre soit libéré.

— Très bien. Je ferai ce que Yan demande, mais il doit promettre de ne pas vous faire de mal.

David ne répondit pas et Vincent comprit que c'était son implication qui garantirait la sécurité du psychiatre. Qu'il le veuille ou non, le sort de David était entre ses mains.

— Nous vous attendrons à mon domicile. Personne d'autre que vous et Kerri ne doivent venir. N'oubliez pas.

Sa voix était légèrement chevrotante, mais David restait étonnamment calme. Son expérience à l'Institut Philippe-Pinel lui servait à ce moment à dominer sa peur.

— Je vous promets que nous serons seuls. Je vais faire aussi vite que possible. Est-ce que ça va aller?

David garda le silence, et Vincent crut entendre une voix en sourdine qui donnait des ordres.

— Faites vite, conclut-il finalement avant de raccrocher.

Vincent ferma son téléphone. Il descendit l'escalier à toute vitesse. Dehors, il se rua vers sa voiture.

Il songeait à Francis. Pourquoi ne pas avoir précisé l'implication de Yan dans ce qui était arrivé à Olivia? Quelle était la part de vérité et de mensonge dans ce qu'il avait dit? Francis était toujours en détention et Vincent comptait l'interroger à nouveau une fois David hors de danger. De graves accusations allaient être portées contre lui et il ne risquait pas d'être relâché de sitôt.

Toute cette série de crimes était-elle réellement orchestrée par Yan? Le fait qu'il donnât des directives laissa croire à Vincent qu'il était plus qu'un subalterne. Yan prenait de grandes précautions pour ne pas se faire capturer et il ne donnait pas l'impression d'avoir voulu mourir dans un incendie. L'attentat sur Olivia n'était peut-être pas une mission suicide.

Décidément, les événements se bousculaient et ils prenaient une étrange tournure. Vincent n'espérait qu'une seule chose: empêcher une nouvelle tragédie.

Chapitre 29

La nuit approchait. Les dernières lueurs du crépuscule s'étiolaient derrière l'horizon comme les braises d'un feu mourant. Les étoiles se préparaient à scintiller pour se prêter au jeu des constellations.

Au volant de la Plymouth, Kerri avait été frappé de petits étourdissements alors qu'il se dirigeait vers l'entrepôt. Il avala deux comprimés de méthamphétamines en espérant endiguer ce malaise. Malgré quelques douleurs, il était persuadé de pouvoir mener à terme l'affrontement de ce soir. Il n'avait pas vraiment le choix puisqu'il ne pouvait pas permettre à ses partenaires de réaliser leur erreur et de revenir en force. C'était une bonne chose qu'il soit en excellente forme physique.

Kerri songea au contrat qui avait été mis sur sa tête. En toute autre circonstance, ses partenaires auraient probablement fait appel à lui pour éliminer une personne. Pris au dépourvu et pressés par les événements, ils avaient opté pour déguiser le meurtre en accident de la route. C'était un plan que Kerri n'aurait pas approuvé, le jugeant trop complexe pour l'élimination d'une seule personne. De plus, les camionneurs s'exposaient aux soupçons des policiers.

Kerri se rapprochait de l'entrepôt. Il n'y avait aucun autre endroit à Montréal aussi tranquille à proximité du port. Le hangar était un site d'exploitation parfait, dût-il maintenant devenir le théâtre de scènes sanglantes.

Le camionneur qui s'était échappé devait déjà avoir rapporté l'échec de sa mission à Édouard et la nouvelle de l'accident avait probablement fait la manchette dans les bulletins de nouvelles. À ce stade, ses partenaires devaient être au courant, mais ils ne s'attendaient sûrement pas à le voir débarquer aussi vite. Ils savaient que Kerri allait riposter et ils devaient déjà préparer un second plan. On allait sûrement opter pour une manière plus directe, cette fois, en envoyant des hommes armés pour l'abattre. C'est ce qu'ils auraient dû faire dès le début.

En plus de bénéficier de l'effet de surprise, Kerri profitait d'un autre avantage : le vendredi était le jour où les cargaisons de méthamphétamines arrivaient par bateau. L'équipe complète assurait la réception, la récupération - la drogue était cachée dans des bibelots qui devaient être cassés - et la distribution sous l'œil attentif d'Édouard qui supervisait les opérations. Cette tentative de meurtre sur l'autoroute ne changeait rien à ses obligations. Il devait honorer ses engagements pour ne pas alerter ses clients et ses fournisseurs. Préserver les apparences était primordial, et Édouard n'était pas prêt à laisser son petit trafic lui glisser entre les mains. Une fois les marchandises acheminées, il pourrait s'occuper de Kerri. Toutefois, le policier comptait bien exploiter ce délai.

Kerri devait survivre à cette nuit et venger Alexandre. Il ne savait pas encore si l'exécution de Laurent Hudson rendait justice à son ami et si cette affaire était réglée. Il allait devoir s'en assurer après avoir disposé de ses partenaires qui, en l'occurrence, n'avaient sûrement rien à voir avec le meurtre d'Alexandre. Ce crime avait amplifié une tension déjà au point de rupture à cause des affaires internes qui enquêtaient sur Kerri. Une suite d'événements malencontreux qui avaient précipité un conflit inévitable.

Cette fois, avec l'accident sur l'autoroute, la mort du chauffeur du Peterbilt et le vol de la Plymouth, Alphonse n'allait pas se contenter d'une histoire inventée. Et ce n'était encore rien en comparaison de ce qui allait se passer à l'entrepôt. Qu'importe, Kerri n'avait plus le choix. Il subissait les conséquences d'événements desquels il n'était plus aux commandes.

Bien que pressé par le temps, il avait dû faire un détour chez lui avant de prendre la direction de l'entrepôt. Il avait rempli une mallette d'armes tirées de sa collection privée. La propriétaire de la Plymouth devait avoir rapporté le vol de son véhicule aux autorités dépêchées sur les lieux de l'accident, et Kerri avait conscience de rouler dans un véhicule recherché. Pourtant, il avait pu circuler sans se faire arrêter. Il venait d'atteindre sa destination et il en aurait terminé avec ses partenaires bien avant que la voiture ne soit retrouvée.

Le policier gara la voiture dans une ruelle sombre à environ un kilomètre de l'entrepôt. La nuit était tombée et ce moment arrivait à point pour appuyer le plan que Kerri avait conçu. Il sortit du véhicule en emportant sa mallette. Il avança vers le hangar et localisa un terre-plein surélevé et entouré de buissons sous un lampadaire qui diffusait une lumière tamisée. Kerri pouvait apercevoir l'entrepôt en contrebas. Il avait une vue directe sur la porte d'entrée à environ huit cents mètres. Il s'avança prudemment en jetant des regards autour de lui pour s'assurer que personne ne l'épiait. La lune laiteuse décochait des reflets austères contre les panneaux ondulés du hangar. Le souffle du vent ressemblait à un soupir de mélancolie. Le lieu offrait une couverture et une position de tir parfaites pour celui qui s'armait adéquatement.

Accroupi derrière les buissons, Kerri ouvrit la mallette. Il récupéra et chaussa des lunettes numériques de vision nocturne. L'écran affichait une image en noir et blanc de haute qualité. Kerri regarda en direction du hangar. Il ajusta le contraste et la clarté et doubla le grossissement. Il repéra les voitures alignées dans la partie est du stationnement. Tout le monde était là, y compris Édouard: Kerri repéra son camion GMC 2500 rouge. Il attendit quelques secondes. L'aire de stationnement était trop calme et il était temps d'y mettre un peu d'action. Kerri enleva ses lunettes de vision. Il se pencha sur la mallette et commença à assembler un fusil soviétique SVD Dragunov.

Quand on payait les bonnes personnes, les perquisitions policières permettaient de mettre la main sur toutes sortes de marchandises illicites. De cette façon, Kerri avait récupéré quelques armes peu conventionnelles qui composaient sa collection secrète. Il avait aussi emporté un pistolet semi-automatique P14-45, une version modifiée du Colt M1911 dont la production avait cessé en 1985. C'était un pistolet de calibre .45 de 14 coups. Kerri ne voulait pas que la police retrouve des douilles et des balles de Walther P99 sur les lieux du crime. Cette précaution ne l'assurait pas d'éviter une incrimination, mais elle lui donnait de meilleures chances de plaider efficacement son innocence.

Habilement, il emboîta les pièces du SVD Dragunov en terminant avec le long silencieux cylindrique. Il y enclencha un chargeur de dix balles. Il perdait de la précision avec l'ajout du silencieux, mais le hangar se situait à moins de huit cents mètres et le SVD Dragunov demeurait extrêmement précis à une telle distance, sa portée maximale étant de mille trois cents mètres. Il rangea le Walther P99 dans la mallette et glissa le P14-45 à sa place dans l'étui.

L'heure de la confrontation approchait. Ses partenaires avaient commis une grave erreur en essayant de l'éliminer. Ils étaient déjà morts au moment où ils avaient pris cette décision. Kerri fit craquer les jointures de ses doigts. Il était temps de faire son appel. Il sortit son téléphone cellulaire et composa le numéro d'Édouard.

— Allo!

Kerri crut percevoir une légère tension dans la voix. Édouard était forcément au courant de ce qui s'était passé sur l'autoroute et il avait dû espérer que les blessures du policier ne lui permettent pas de réagir rapidement.

— Tu es un homme mort. Tu n'aurais jamais dû essayer de me tuer.

Kerri parlait avec véhémence. Il devait donner l'impression d'être impulsif et colérique. Édouard devait le croire imprudent et désorganisé.

Édouard garda le silence pendant quelques secondes. Kerri crut qu'il donnait des directives à ses hommes en leur adressant des signes.

— Kerri! fit-il comme s'il venait tout juste de le reconnaître. Ce qui s'est produit est une erreur terrible. Raphaël ne m'a pas écouté et il a fait à sa tête. Il m'a désobéi et il se cache quelque part. Je suis persuadé que nous pourrions le retrouver ensemble. Pourquoi est-ce que tu ne viens pas au hangar?

Kerri sourit. Il avait repéré le véhicule de Raphaël dans le stationnement. Il continua néanmoins à jouer le jeu.

— Raphaël n'a pas les ressources pour organiser un coup pareil et il n'aurait pas agi sans ton accord. Mais tu as raison sur une chose : ce qui s'est produit est une terrible erreur.

Kerri ponctua ses répliques de nombreux jurons.

– Je n'aurais jamais donné mon accord pour un contrat aussi visible. Tu sais que je préfère la discrétion.

– Non, c'est justement ça le problème, Édouard, je ne sais pas. Après ce qui s'est passé, je n'ai plus confiance en toi.

Il continuait de se montrer hargneux.

– Pourquoi est-ce que tu ne viens pas au hangar? Je te promets que nous réglerons cette histoire.

Le policier n'avait plus aucun doute sur l'implication d'Édouard. Son grand talent d'acteur ne suffisait pas à dissimuler sa peur.

– Tu n'aurais jamais dû t'en prendre à moi. C'était ta dernière erreur. J'arrive et je vais vous tuer, toi et toute ta bande.

Kerri raccrocha.

Il se coucha à plat ventre et prit position en dirigeant le canon du SVD Dragunov sur la porte de l'entrepôt. L'éclairage n'était pas parfait, mais il pourrait se débrouiller sans ses lunettes télescopiques.

Il n'eut pas à attendre longtemps. Trois hommes sortirent. Kerri aperçut d'abord Derek qui avançait le dos voûté et l'air renfrogné. À sa gauche, l'énorme Tommy marchait avec nonchalance. Il était si gros que même ses vêtements amples n'arrivaient pas à dissimuler ses masses de chair. Tommy trahissait des signes de nervosité en jetant des regards furtifs dans toutes les directions. Et dans leur sillage se tenait Édouard. Il gardait la tête basse. Les trois hommes se dirigeaient vers les voitures dans le stationnement. Alors qu'ils étaient à mi-chemin du hangar et des véhicules, Kerri prit son cellulaire et appuya sur la touche de recomposition. Il manipulait le téléphone tout en gardant les yeux sur les trois cibles.

Lorsque son téléphone retentit, Édouard s'immobilisa. Dans sa lunette télescopique, Kerri discernait très bien son visage inquiet. Édouard regarda autour de lui et amena tranquillement le cellulaire à son oreille.

– Allo!

Sa voix vibrait de tension. Kerri était persuadé qu'il venait de réaliser l'erreur qu'il avait commise en sortant de l'entrepôt.

– Si tu bouges, tu es mort.

Dans un geste nerveux, Édouard se massa la nuque.

– Où es-tu, Kerri?

– À un endroit où je peux très bien te voir. Tu portes un anorak bleu foncé et un pantalon noir. Ta main droite est sur ta nuque.

Derek se rapprocha d'Édouard, le visage tendu. Tommy tardait à comprendre ce qui se passait. Il arborait une expression circonspecte.

En restant immobile, les trois hommes étaient des cibles parfaites.

– Qu'est-ce que tu vas faire, Kerri?

– Donne le téléphone à Tommy.

Il y eut un bref silence. Édouard hésitait.

– Pourquoi?

– Ne pose aucune question si tu veux rester en vie. Fais ce que je te dis.

Édouard obtempéra et tendit le téléphone à Tommy qui, incrédule, haussa les épaules. Édouard insista dans un geste sec. Kerri savourait chaque seconde. Ses doigts frémissaient d'excitation. Tommy prit finalement le téléphone. Une respiration rauque et bruyante envahit le combiné.

– Allo! fit-il avec hébétude.

– Si tu bouges, tu es mort.

Kerri ouvrit le feu. Il atteignit d'abord Édouard à la tête. Des éclaboussures de sang furent projetées, constellant le visage de Tommy. Il tira une deuxième balle qui se logea dans la poitrine de Derek. Les deux hommes touchés s'écroulèrent.

La bouche ouverte, Tommy fut pétrifié. Une fois que son cerveau eut assimilé ce qui venait de se produire, il se mit à balbutier des mots incohérents. Il avait éloigné le téléphone de son oreille, mais Kerri arrivait à entendre son charabia.

– Tommy! hurla-t-il. Tommy!

– Ils sont morts.

– Est-ce que tu veux vivre? demanda Kerri.

– Ils sont morts... ils sont morts tous les deux, bégaya-t-il en rapprochant le téléphone de son oreille.

– Réponds-moi, Tommy! Est-ce que tu veux vivre?

Un court silence suivit pendant que Tommy se calmait et qu'il évaluait la question.

– Je... je ne veux pas mourir, dit-il d'une voix tremblotante.

— Alors ne bouge pas jusqu'à ce que je t'aie rejoint. Si tu essaies de t'enfuir ou d'appeler à l'aide, je t'abats sans hésiter. Est-ce que tu m'as bien compris?

À travers sa respiration haletante, Tommy parvint à articuler une réponse affirmative.

— N'oublie pas que je garde continuellement un œil sur toi.

Avant de quitter sa position, Kerri continua d'observer Tommy pendant quelques secondes pour s'assurer que ses consignes étaient suivies. Son souffle rauque vibrait dans le téléphone et Tommy restait aussi immobile qu'une statue.

Le policier abandonna le SVD Dragunov et dégaina son P14-45. Il émergea du terre-plein et regagna le stationnement au pas de course.

— Ne bouge pas, souffla Kerri dans le téléphone alors que Tommy le voyait approcher. Ne m'oblige pas à t'abattre.

Il n'y avait pas de fenêtre sur le flanc de l'entrepôt qui donnait sur le stationnement et, tant que personne ne sortait par la porte d'entrée, Kerri ne serait pas repéré. Cette progression n'en demeurait pas moins inquiétante puisqu'elle le laissait à découvert. La porte resta close et le policier traversa le stationnement sans problème. Il rejoignit Tommy qui écarquilla les yeux en discernant le pistolet braqué sur lui.

— Je n'ai pas bougé, assura-t-il sur un ton paniqué. Je te jure que je n'ai pas bougé.

Ses épaules étaient secouées d'un tremblement incoercible.

– Du calme, intima Kerri.

Tommy était un géant qui mesurait un mètre quatre-vingt-dix. Jadis, il s'adonnait à la musculation et jouait au football. Mais, du jour au lendemain, il avait cessé ses activités sportives en conservant le même appétit. Aujourd'hui, il pesait plus de cent cinquante kilos et n'était plus qu'une énorme masse adipeuse. Un gros balourd qui devait éructer un flot incessant de balivernes pour se composer un auditoire.

– Tu t'en sors très bien, assura Kerri. Tu n'as qu'à faire ce que je te dis si tu veux continuer à vivre.

Son plan fonctionnait à merveille jusqu'à présent. Son coup de téléphone avait fait paniquer Édouard qui avait opté pour prendre la fuite en croyant que Kerri allait se ruer au hangar. Édouard était la pierre angulaire du réseau et, en disposant de lui, Kerri estimait que les autres membres auraient de la difficulté à s'organiser. Il avait aussi éliminé Derek, et Tommy ne tarderait pas à les rejoindre. Il avait retardé son exécution pour lui soutirer quelques informations. Avec les cadavres de Derek et d'Édouard sous les yeux, Kerri savait qu'il n'allait pas lui mentir.

Le policier avait songé à emporter ses lunettes de vision nocturne, mais il avait décidé de les laisser de côté; elles risquaient de lui nuire dans l'espace confiné du hangar et il aurait de la difficulté à tirer sur toutes les ampoules pour plonger l'endroit dans une obscurité totale. Il préférait concentrer son tir sur les cibles humaines et profiter de l'effet de surprise.

En incluant Tommy, Kerri devait abattre cinq personnes pour disposer du reste de la bande.

– Est-ce que tu as une arme sur toi?

Tommy tarda à répondre avant de secouer la tête dans un grand signe de négation.

– Ne t'avise pas de me mentir.

– Je jure que c'est la vérité.

– D'accord. De toute façon, je dois te croire parce que j'en aurai pour toute la nuit si je dois te fouiller.

Kerri étira les lèvres pour dessiner un sourire sardonique. Tommy gardait une expression tendue.

– Allons, détends-toi. Tu n'es pas encore mort.

Aussitôt, il bondit sur Tommy. Il l'attrapa par les cheveux et lui enfonça violemment le canon de son pistolet dans les côtes.

– Qu'est-ce qui te prend? grommela Tommy. T'es malade!

– Reste tranquille. Tourne-toi.

Tommy obtempéra en grimaçant. Après avoir fait demi-tour, il sentit le canon de l'arme contre sa nuque.

– Pourquoi est-ce que...

– Ta gueule! coupa Kerri. Dis-moi seulement ce que je veux entendre.

– Je n'ai rien à voir dans l'attentat sur l'autoroute. Ce n'est pas moi qui...

– Je sais très bien que l'ordre ne venait pas de toi. Je sais que tu as l'habitude de suivre les directives plutôt que de les donner. Avance.

Il poussa Tommy pour le forcer à se mettre en marche.

— Je vais te poser quelques questions. Est-ce que tout le reste de la bande se trouve à l'intérieur?

— Tout le monde est là aujourd'hui. Je veux dire, il reste Marty, August, Antoine et Raphaël.

Cette information confirma le décompte que Kerri avait fait.

— Qu'est-ce qu'Édouard a dit aux autres avant de partir?

N'obtenant d'abord qu'un souffle rauque pour toute réponse, Kerri s'impatienta rapidement et accentua la pression avec son arme.

— Tu m'as entendu?

— Édouard a reçu un appel et s'est éloigné pour poursuivre la conversation. Ensuite, il est allé voir August pour lui dire qu'il allait devoir s'absenter pour deux ou trois heures. Édouard ne lui a pas donné d'explications et August n'a pas insisté pour en avoir. Je le sais parce que j'étais juste à côté lorsqu'ils se sont parlé. Édouard nous a demandé à Derek et à moi de le suivre pour faire une livraison. Il n'a jamais parlé de toi.

Tommy haletait. De grosses gouttes de sueur perlaient sur son front.

À nouveau, Édouard avait fait exactement ce que Kerri avait espéré. Un homme ayant passé sa vie dans le milieu criminel sans faire de prison sait protéger ses arrières. En apprenant que Kerri s'amenait, Édouard avait préféré quitter l'entrepôt. Il n'avait pas avisé ses hommes parce qu'il ne voulait pas personnellement prendre les armes et se retrouver au cœur du conflit. Une fois à bonne distance, il aurait probablement téléphoné à August pour l'aviser qu'il venait tout juste de parler à Kerri et que ce dernier s'apprêtait à débarquer au hangar pour se faire justice. Édouard aurait voulu que ses hommes soient prêts, mais Kerri était persuadé qu'il ne comptait pas retourner au hangar avant la fin de l'affrontement.

— Il n'a pas parlé de moi? Il n'a pas demandé à ses hommes de s'armer parce que j'arrivais?

— Non, il a juste dit qu'il devait s'absenter et qu'il allait revenir dans deux ou trois heures.

— Très bien! Continue à faire ce que je te dis et tu t'en sortiras.

Tommy jeta un regard perplexe à Kerri par-dessus son épaule. Le balourd n'était pas particulièrement intelligent, mais il n'était pas tout à fait stupide. Après ce qui s'était produit sur l'autoroute, le policier n'était pas venu pour négocier ou se réconcilier avec ses anciens partenaires. Tommy savait que, après avoir tué Édouard, Kerri n'épargnerait personne.

— Vous avez certainement pris des précautions si vous saviez que votre coup sur l'autoroute avait échoué.

— Mais on nous a dit que tu étais grièvement blessé, geignit Tommy. Une fois la commande de ce soir distribuée, Édouard avait l'intention de téléphoner dans les hôpitaux pour te retrouver.

Il songea au conducteur du semi-remorque qui avait pris la fuite. Pour minimiser son échec, l'homme avait relaté les faits en aggravant l'état de Kerri. Pourtant, le policier avait réussi à abattre l'autre conducteur et il trouva curieux que cette information, qui pouvait difficilement être camouflée, n'ait pas rendu Édouard plus nerveux.

Kerri aurait été étonné que Tommy lui cache la vérité, mais il devait être certain de ne pas tomber dans une embuscade en entrant dans l'entrepôt. Il s'immobilisa et força Tommy à en faire autant.

— Je suis certain que tes amis me tendent un piège à l'intérieur du hangar, vociféra-t-il en le malmenant. Dis-moi la vérité.

— On ne savait pas que tu venais! C'est... la vérité! J'te jure!

Kerri fut convaincu. Le visage de Tommy était cramoisi et le policier se demanda s'il n'allait pas succomber à un arrêt cardiaque.

— Bon, ben, il ne reste plus qu'à entrer pour vérifier.

Avec rudesse, il contraignit Tommy à retourner sur ses pas.

— Ça fait mal, pleurnicha-t-il.

— Ta gueule. Avec toute la graisse que tu as sur le corps, je m'étonne que tu arrives à sentir quelque chose.

— Tu pourrais me laisser partir. Je ne suis dangereux pour personne et...

— Je t'ai dit de fermer ta gueule.

Les jambes flasques de Tommy flageolaient et, pendant une seconde, Kerri crut qu'il allait s'écrouler sur le sol. Tommy arriva à garder son équilibre en poussant de petits halètements.

Le moment de confrontation approchait. Kerri était à la fois nerveux et excité. Il bénéficiait de l'effet de surprise, mais il ne devait pas sous-estimer la force collective des hommes qui occupaient l'entrepôt. Eux n'avaient qu'une cible à atteindre et Kerri en avait quatre.

Ils n'étaient plus qu'à une dizaine de mètres de la porte. Kerri était beaucoup trop près du hangar pour abattre Tommy à bout portant; le P14-45 n'avait pas de silencieux et la détonation risquait d'attirer l'attention. Il devait donc se débarrasser de lui sans ouvrir le feu. Il leva le bras pour lui fracasser le crâne avec la crosse de son pistolet lorsqu'il entendit un bruit. La porte de l'entrepôt venait de s'ouvrir et la silhouette d'August apparut.

Interloqués, les deux hommes se dévisagèrent pendant une seconde. August réagit le premier. Il battit en retraite et la porte se referma avant que Kerri ait pu tirer. Il entendit un cri étouffé qui venait du hangar: August donnait l'alerte. Le policier devait faire vite avant que les quatre hommes aient le temps de s'organiser. Il poussa Tommy pour le contraindre à avancer.

— Bouge! hurla-t-il.

Le cœur de Kerri martelait sa poitrine en se répercutant dans son corps comme un écho sismique. Son sang bouillait comme la lave d'un volcan prêt à entrer en éruption. Sa progression vers la porte lui parut interminable.

Kerri ne pouvait plus reculer et, plus il tardait, plus il donnait du temps aux hommes d'Édouard pour se préparer à l'affrontement. Tommy lui donnait un avantage puisque sa forte corpulence allait lui servir de bouclier.

Ils atteignirent la porte. En refermant sa main sur la poignée, Tommy s'arrêta net.

— Entre! vociféra Kerri en le menaçant avec son arme.

Tommy résista, mais le policier arriva à le faire bouger. La porte s'ouvrit légèrement. Kerri pouvait sentir son sang pulser à ses tempes.

Comme lorsqu'il avait posé la main sur l'épaule de Laurent, le temps parut ralentir. Le grincement des gonds se détacha avec une résonance assourdissante. La porte s'ouvrait tranquillement, défiant l'imminence de la confrontation. On aurait dit que les deux hommes franchissaient une brèche qui donnait sur un autre monde, une cellule de pure violence.

Juste avant qu'ils ne passent l'embrasure, Kerri se colla sur Tommy en espérant couvrir tous les angles de tir si une fusillade éclatait. Mais Tommy ne resta pas docile. Sa volonté de survie galvanisa ses énergies et il arriva à se dégager de l'emprise de Kerri une fois qu'ils furent dans l'entrepôt. Son triomphe fut éphémère.

Plutôt que de prendre la fuite comme Kerri l'aurait cru, August avait fait preuve de témérité en se postant près de la porte. Il n'avait pas d'arme à feu sur lui, mais il disposait d'un long couteau glissé dans un étui fixé à sa ceinture. En entrant, Kerri redoutait une attaque, mais pas en provenance d'un angle aussi rapproché du mur. Sans Tommy qui passait devant, August aurait probablement réussi à le surprendre.

— Attention! s'écria Tommy. Il va tous nous tuer!

Tout se passa rapidement.

Dès qu'il vit une silhouette apparaître devant lui, August chargea. La lame avait déjà transpercé le flanc droit de Tommy avant qu'il réalise son erreur. Il ouvrit grand les yeux sur le balourd qui s'immobilisa en émettant un râle étouffé. Par réflexe, Tommy attrapa le couteau par le manche avec ses mains boudinées. La lame avait traversé son diaphragme. Son souffle devint précipité et rauque.

Alors qu'August était toujours éberlué, Kerri attaqua. Apparaissant juste derrière Tommy, il tira une balle qui atteignit August en plein visage. Le projectile traversa l'œil gauche pour émerger derrière la tête en libérant un puissant jet de sang qui fusa des deux côtés du crâne.

August s'effondra tandis que Tommy tombait à genoux avec la lame logée dans sa carcasse. Kerri essaya de le forcer à rester debout, mais ce fut peine perdue. Il s'agenouilla pour que la masse de chair lui serve d'écran.

Kerri connaissait très bien l'aménagement de l'entrepôt et il repéra les endroits qui offraient la meilleure couverture. Non loin de la porte d'entrée, sur sa droite, on retrouvait des fauteuils avachis et une banquette extirpée d'une Nissan déglinguée. Au centre du bâtiment s'étalaient des palettes de bois empilées et des étagères en métal gangrenées par la rouille. À sa gauche se trouvait un dédale de cloisons qui devaient autrefois abriter des bureaux administratifs. Cet endroit aurait procuré une bonne couverture, mais Kerri jugeait risqué de prendre cette direction en ignorant la position des hommes d'Édouard.

Soudain, deux coups de feu retentirent. Les balles sifflèrent près de la tête de Kerri. Aussitôt, un autre coup de feu fut tiré, atteignant Tommy en pleine poitrine. Il bascula vers l'avant, laissant Kerri totalement à découvert. Le policier se mit aussitôt en mouvement. Sous la lumière tamisée des ampoules, il fonça vers les fauteuils en se penchant et en gardant son arme braquée devant. C'était une manœuvre risquée, mais l'offensive était sa meilleure option. Kerri refusait de rebrousser chemin et de s'enfuir.

En courant, il vit la pointe d'une tête derrière le dossier d'un fauteuil effiloché. L'homme allait se dresser pour tirer à nouveau, mais il battit en retraite en voyant le policier foncer sur lui. Kerri visa et ouvrit le feu. Les balles traversèrent facilement le dossier, et un cri de douleur s'éleva. Le policier obliqua en direction du fauteuil et s'approcha prudemment.

Antoine gisait sur le sol. Une balle s'était logée dans son épaule gauche et l'autre dans sa hanche droite. Il se tortillait comme un poisson sorti de l'eau en poussant des cris où se mêlaient rage et douleur. Il avait échappé son Beretta de calibre 9 mm Parabellum. Il n'essaya pas de le récupérer en voyant Kerri approcher, sachant qu'il n'avait aucune chance de le prendre de vitesse. Antoine jeta un regard suppliant au policier au moment où deux balles lui perforaient la tête.

Il ne restait plus que Marty et Raphaël.

Aussitôt, une rafale de balles fut tirée et les projectiles s'écrasèrent sur le mur derrière Kerri qui se pencha pour chercher refuge derrière les fauteuils. Par la cadence du tir et le bruit des détonations, Kerri sut que le tireur utilisait un pistolet mitrailleur.

D'autres coups de feu suivirent. Kerri ne pouvait rester où il se trouvait. Si le tireur se rapprochait, il n'aurait qu'à viser dans les fauteuils pour l'abattre comme il l'avait fait pour Antoine.

De biais à la droite de Kerri se trouvait un vieux chariot élévateur avec une cabine sans fenêtre. Lorsque le petit réseau s'était installé, personne n'était venu le réclamer. Il n'était pas opérationnel, mais Antoine, qui disposait de beaucoup de connaissances en mécanique, l'avait réparé. Il l'avait fait pour s'amuser, le chariot élévateur n'ayant aucune utilité pour le réseau : les bibelots qui dissimulaient les méthamphétamines se retrouvaient dans quelques caisses faciles à déplacer.

Une nouvelle salve retentit, créant un bruit de tonnerre qui s'amplifia dans tout le hangar. Le tir était toujours hors cible, mais il était déjà plus précis. Le tireur paraissait s'être rapproché, prenant refuge entre les hautes colonnes de palettes de bois. Il ne lui faudrait plus beaucoup de temps pour découvrir la position exacte de Kerri.

Le policier réfléchissait. Le véhicule, situé à mi-chemin entre les fauteuils et les palettes, offrait une meilleure couverture. Il n'était qu'à une douzaine de mètres, mais Kerri risquait de se faire abattre avant de l'atteindre.

Il devait trouver une solution. Il jeta un regard sur la grande porte électrique de l'entrepôt située au fond, sur sa droite. La porte servait peu au réseau. Kerri ne se rappelait pas la dernière fois qu'elle avait été manœuvrée, mais il savait qu'elle fonctionnait. D'où il se trouvait, il pouvait voir le boîtier de contrôle qui l'actionnait. Un bouton vert permettait de l'élever, un autre de l'abaisser, et un bouton rouge commandait l'arrêt du mécanisme.

Pour gagner le chariot élévateur, Kerri avait besoin d'une distraction. Il eut une idée.

Il tira sur le panneau de contrôle. Les deux premières balles furent hors cible. La troisième fit exploser le boîtier. À sa grande satisfaction, la porte s'éleva. Elle s'ouvrit tranquillement dans un fracas métallique.

Kerri jeta un regard par-dessus le divan. Il n'arrivait toujours pas à repérer le tireur. Il décida néanmoins de tenter sa chance en quittant sa position. Un coup de feu retentit, mais l'attention du tireur avait été détournée suffisamment longtemps pour permettre à Kerri de rejoindre le véhicule sans problème.

Le vent s'engouffra dans l'entrepôt par la porte ouverte.

Kerri n'était pas très loin des piles de palettes de bois. Il y jeta un coup d'œil au moment où une balle sifflait près de sa tête. Le chariot élévateur lui offrait une meilleure protection, mais, contrairement au tireur, Kerri ne connaissait pas la position de son rival. Les nombreuses piles de palettes étaient dispersées et offraient plusieurs endroits où se cacher.

Kerri attendit et le tireur aussi. Les secondes passèrent, égrenant un long et pénible décompte. Le tireur faisait preuve de sang-froid, ne paniquant pas en ouvrant le feu à l'aveuglette. Il était bien posté et attendait que Kerri s'expose. Une seule erreur, conditionnée par l'impatience, pourrait lui être fatale. Kerri devait à nouveau improviser pour se donner l'avantage. Il inspecta le véhicule.

La clef était dans le démarreur. À la droite des leviers d'opération se trouvaient une boîte d'outils et une pelle. Il regarda en direction des palettes. Les premières piles s'élevaient à plus de cinq mètres et il ne serait pas difficile de les faire basculer.

Kerri pouvait atteindre la clef et les contrôles du chariot élévateur sans s'exposer au tir de son rival. Il s'étira, tourna la clef et enclencha le levier pour régler la boîte de transmission en première vitesse. Il utilisa la pelle pour écraser la pédale d'accélération. En appuyant le manche sous le tableau de bord, il arriva à bloquer l'outil.

Le véhicule se mit en marche dans un vrombissement de moteur. Posté à l'arrière, Kerri demeurait dans le sillage du chariot élévateur en suivant sa lente progression. Une rafale de balles fut tirée, produisant des étincelles sur le métal. Kerri resta bien caché et attendit le bon moment pour riposter.

Les lames du véhicule appuyèrent tranquillement sur les palettes qui basculèrent vers l'avant. Les piles tombèrent comme des dominos, et un cri aigu se détacha du vacarme. Prudemment, Kerri s'éloigna du chariot élévateur pour élargir son angle de tir. Il aperçut une silhouette qui repoussait des palettes pour se dégager. Il reconnut Marty au moment où il appuyait sur la gâchette. La balle l'atteignit à la poitrine. Son corps ballotta avant de tomber et de disparaître derrière un amas de palettes entremêlées. Le véhicule poursuivit sa progression, passant tout près de Marty. Kerri se rapprocha.

Victime de spasmes violents, Marty émettait de pénibles râles. La balle s'était logée dans son cœur. Il voulut parler, mais il n'arriva qu'à cracher des filets de sang. À sa gauche reposait un pistolet mitrailleur Uzi de calibre 9 mm Parabellum. C'était une arme redoutable avec un chargeur de quarante balles. Kerri se demanda où Édouard et ses hommes avaient pu se procurer une arme de ce genre sans faire appel à lui. Kerri adressa un sourire cruel à Marty qui mourut rapidement.

Le chariot élévateur continuait toujours sa route, émergeant entre les monticules de palettes renversées. Soudain, d'autres coups de feu retentirent. Kerri se pencha et regarda devant lui pour voir ce qui se passait. Il comprit vite que les balles étaient dirigées sur le véhicule et non sur lui. Que ce fût le fait de la chance ou de la précision, les projectiles eurent raison du véhicule, atteignant un point critique. Le moteur cala dans un sifflement au moment où il atteignait le mur du hangar situé au bout de sa trajectoire.

Raphaël ne l'avait pas encore aperçu. Le policier le vit se rapprocher du chariot élévateur, arme en main. Il se pencha dans la cabine en croyant surprendre Kerri. Lorsqu'il réalisa avec effroi que personne ne manœuvrait le véhicule, il se retourna et découvrit le policier qui le tenait en joue.

– Lâche ton arme.

Raphaël se figea. Il hésitait, incapable de se résoudre à abandonner son pistolet. C'était un Beretta, identique à celui d'Antoine.

– Tout de suite! vociféra le policier.

Nouvelle hésitation. Plutôt que de rester sur place en attendant que Raphaël coopère, Kerri avança en continuant de le viser avec son P14-45. Il ne devait pas lui permettre de réfléchir et d'évaluer ses options. Raphaël lâcha finalement son arme en le voyant approcher. Il fit un pas en arrière au moment où Kerri s'immobilisait à deux mètres de lui.

– J'aurais préféré que tout ça ne se produise pas. Tu dois me croire.

– Ça n'a plus d'importance, maintenant, répliqua froidement le policier.

Kerri ne croyait pas au hasard, mais il appréciait la tournure des événements : Raphaël était le dernier à mourir. Il savourait l'idée que sa victoire soit le dernier souvenir du criminel.

Visant la tête, il abaissa le chien de son arme. Le visage exsangue, Raphaël tendit la main dans un geste suppliant.

– Je t'en prie! implora-t-il.

Kerri tira, et la balle atteignit sa cible à la gorge. Raphaël tomba lourdement sur le dos. Il utilisa ses mains pour comprimer sa blessure. Le sang affluait dans sa bouche et entre ses doigts. Des bruits de raclements et de succion se succédaient.

Kerri se rapprocha.

– Je savais que je finirais par t'abattre un de ces jours.

Les traits de Raphaël se crispèrent. Ses épaules tressautèrent.

– Tu veux savoir autre chose? poursuivit Kerri. Je sais aujourd'hui que toi, Édouard et le reste de la bande n'avez rien à voir avec le meurtre d'Alexandre. Je suis quand même heureux de te voir pisser le sang à mes pieds.

Le policier amena le canon de son arme au-dessus de la tête de Raphaël.

– Allez, il est temps d'en finir!

Raphaël fit un effort pour parler, mais sa tentative échoua. Chaque seconde qui s'écoulait le rapprochait de son trépas. Il n'en avait plus pour bien longtemps et Kerri renonça à tirer, préférant assister à son agonie plutôt que de l'achever. Il aurait aimé lui infliger de plus grandes souffrances, mais cette conclusion lui convenait tout de même.

Les yeux de Raphaël s'écarquillèrent; le miroir de l'âme se brouilla dans les larmes. Les traits de son visage se détendirent et la tension dans ses bras se relâcha. Son corps se figea.

Raphaël était mort. C'était terminé. Toute l'équipe d'Édouard avait été éliminée.

La violence avait été si effroyable qu'elle paraissait avoir imprégné l'air dans le silence qui suivait la tuerie.

Malgré sa grande froideur et son tempérament

flegmatique, Kerri fut momentanément ébranlé par ce qu'il venait de provoquer. Auparavant, dans l'exercice de ses fonctions, il s'était déjà servi de son arme en abattant deux criminels. Il n'en avait jamais éprouvé le moindre remords et il composait sans problème avec cette facette de son travail. Une enquête avait été menée pour évaluer sa conduite, mais il avait été blanchi de tout soupçon incriminant. Le SPVM lui avait même décerné une mention d'honneur. Un moment de gloire dans sa vie, au point que même Alphonse n'avait pas envisagé d'exhumer cet épisode pour ternir sa réputation.

Avec le conducteur du Peterbilt et Laurent Hudson, Kerri avait tué neuf personnes aujourd'hui. Une statistique épouvantable, un lourd fardeau même pour un homme aux nerfs solides. Peu importait la manière dont cette histoire serait rapportée, Kerri était seul pour vivre avec ses démons. Mais il n'était pas ce que les événements l'avaient forcé à devenir et il ne devait pas perdre son identité dans cette aventure. Il devait retrouver toute sa raison, s'incarner de nouveau dans une conduite humaine et civilisée.

Un bruit se fit entendre. Kerri tarda à reconnaître la sonnerie de son cellulaire venant de la poche intérieure de sa veste. Il sourit. Il s'était bien organisé en venant au hangar et, pourtant, il avait oublié de fermer son cellulaire. Il se demandait si le téléphone aurait pu trahir sa position en sonnant un peu plus tôt. Curieusement, ce fut ce bruit anodin qui, comme un signal rompant le charme d'une incantation, brisa l'état de choc dans lequel se trouvait Kerri. Il répondit après plusieurs sonneries.

— Allo! fit-il en reconnaissant à peine le timbre de sa propre voix.

— Kerri? C'est Barrie!

Il parlait à travers des parasites statiques.

Kerri fut confronté à un moment d'irréalité. Il avait l'impression de s'éveiller. Barrie le tirait d'un terrible cauchemar dans lequel plusieurs personnes avaient perdu la vie.

Barrie parla à nouveau, mais sa voix fut entrecoupée par une série de grésillements.

— Attends une seconde, fit Kerri.

Les signaux devaient interférer avec la structure en métal de l'entrepôt. Il enjamba le cadavre de Raphaël et s'empressa de regagner la porte.

— Est-ce que tu m'entends mieux? demanda-t-il une fois à l'extérieur.

— Bon sang, où es-tu? s'enquit Barrie alors que les derniers chuintements s'estompaient. J'ai vu l'état de ta voiture dans un bulletin d'informations à la télévision. Est-ce que ça va?

Des images s'enchaînèrent dans l'esprit de Kerri en une séquence stroboscopique. Il revit la carrosserie tordue de la Porsche. Il avait abattu le conducteur du semi-remorque qui avait essayé de le tuer. Il revit le pare-brise fissuré par le passage de la première balle et les gouttelettes de sang qui avaient constellé la vitre de l'intérieur.

— Je vais bien, dit-il après un long moment de silence.

– Tout le monde te cherche! Un camionneur s'est fait abattre. Est-ce que c'est toi qui l'as tué? Un homme est mort, bon sang!

Kerri sourit. Il essaya d'imaginer la réaction de Barrie s'il lui apprenait que son décompte s'élevait à neuf meurtres aujourd'hui.

– Où es-tu? demanda Barrie sur un ton pressant.

– Je ne suis pas loin. J'ai dû faire un peu de ménage et je viens de régler le dernier de mes problèmes.

Une fois cette conversation terminée, Kerri allait devoir récupérer sa mallette et le SVD Dragunov.

– Il y a peut-être une dernière chose, dit Barrie avec embarras. L'inspecteur Vincent Auger te cherche. Je l'ai su en m'arrêtant à son bureau alors qu'il essayait de t'appeler à ta résidence et qu'il laissait un message sur ton répondeur. Sans trop paraître intéressé, je lui ai demandé pourquoi il désirait te voir. Il ne m'a pas répondu, mais j'ai senti que c'était urgent. Je lui ai dit que je pourrais peut-être te rejoindre. Avec tout ce qui s'est passé, j'ai pensé que tu voudrais probablement savoir ce qu'il te veut.

À nouveau, Kerri songea à l'accident sur l'autoroute et à la série de meurtres qu'il venait de commettre. Une violence dont la résonance l'ébranlait encore. Barrie poursuivit :

– Je dois t'avouer que je commence à être nerveux. Je sens la pression, Kerri. Je crois que nous devrions rompre notre collaboration après cette communication.

– Ne t'inquiète pas. Je t'ai promis que tu ne serais pas impliqué et je tiendrai parole. Où est Auger?

– Il est à son bureau. J'ai dit que j'allais essayer de te joindre, mais que je ne pouvais rien lui promettre. Il attend ma réponse. Qu'est-ce que ce sera?

Kerri devait admettre que cette histoire ne cessait de le surprendre. Elle s'ouvrait continuellement sur un nouveau chapitre alors qu'il la croyait terminée. Avec les crimes qu'il venait de commettre, il n'avait pas le choix d'aller jusqu'au bout.

– Passe-le-moi.

Chapitre 30

Aaron avait la tête penchée sur son bureau lorsque Manson Creek lui posa une main sur l'épaule par-derrière. Il sursauta.

– Mais qu'est-ce que...

Il se retourna avec un regard furibond, mais sa colère se dissipa aussitôt lorsqu'il la reconnut. Il resta silencieux un moment avant de demander, avec méfiance :

– Tu veux quelque chose?

En constatant l'embarras d'Aaron, Manson adopta un ton espiègle.

– Où est Vincent?

– Je ne sais pas exactement. Il vient tout juste de partir et il n'a pas voulu me dire où il allait.

– Je l'ai vu parler à Barrie un peu plus tôt.

– Je sais, fit Aaron, renfrogné. C'est après lui avoir parlé qu'il est parti. Je me demande pourquoi. Barrie n'a pas été affecté à cette affaire!

Aaron paraissait légèrement froissé d'avoir été mis sur la touche.

– Vincent poursuit son enquête dans son état? s'enquit-elle. Moron!

Bien qu'elle fût parfaitement bilingue, Manson n'avait pas l'habitude d'échapper un mot en anglais.

– Il est assez grand pour savoir ce qu'il fait.

Aaron dévisagea Manson. Perplexe, il leva un sourcil et demanda :

– Ne me dis pas que tu es inquiète?

Manson perdit son expression ingénue et elle foudroya Aaron du regard.

– Ne t'énerve pas, fit-il en levant les mains pour l'inviter à se calmer. C'est toi qui as posé la question. Qu'est-ce que tu voulais au juste?

– Je voulais parler à Vincent.

– Pourquoi? Tu tenais personnellement à l'achever? lança-t-il candidement.

– Vincent m'a fait la même blague il n'y a pas si longtemps. Tu devrais changer de fréquentation. Ne t'inquiète pas pour Vincent : si je veux achever quelqu'un, je vais commencer par toi.

Le ton acerbe de Manson rendit Aaron mal à l'aise.

– Je croyais que la mort de Laurent Hudson avait mis un terme à l'enquête de Vincent, reprit-elle en s'efforçant d'être aimable.

– Apparemment pas et, si tu veux savoir la vérité, je viens de faire une découverte qui pourrait amener de nouveaux développements. J'ai justement voulu en parler à Vincent avant qu'il ne quitte, mais il n'avait pas le temps de m'écouter.

Manson dévisagea Aaron; elle lui adressa un signe avec la main pour le prier de poursuivre.

– Je t'écoute.

– Quoi?

– Qu'as-tu découvert? demanda-t-elle.

Aaron arborait un air interdit. Il ne s'attendait pas à ce que Manson se montre intéressée.

— Je... je suis un passionné d'ordinateurs. J'aurais probablement été informaticien si je n'étais pas devenu enquêteur. J'ai beaucoup de connaissances en ce domaine.

Manson adopta une expression teintée de lassitude.

— Est-ce que je dois aussi aborder mon hobby préféré pour gagner ta confiance ou est-ce que tu cherches simplement à m'ennuyer?

Aaron poussa un soupir d'exaspération.

— Dois-tu toujours être aussi cynique?

— Le cynisme est mon passe-temps. Tu partages le tien, je partage le mien. Maintenant que ce merveilleux échange nous a rapprochés, est-ce que tu veux me dire ce que tu as découvert?

Aaron se rembrunit et reprit, sur un ton légèrement contrarié:

— En utilisant le programme Back Orifice, j'ai réussi à prendre le contrôle de l'ordinateur de Laurent Hudson et à obtenir l'accès à sa messagerie électronique.

— Ne me dis pas que tu as fait quelque chose d'illégal?

Les joues d'Aaron s'empourprèrent.

— En effet, mais je n'ai pas laissé de traces derrière moi. Si, comme je le crois, ma découverte s'avère pertinente, nous n'aurons qu'à inventer un prétexte et à demander un mandat pour accéder légalement à sa boîte de messagerie. Les spécialistes en informatique du Laboratoire de médecine légale et de sciences judiciaires pourront confirmer ce que j'ai vérifié secrètement.

– Je ne te savais pas aussi corrompu. Je vais finir par t'apprécier.

Fidèle à ses habitudes, Manson avait changé complètement d'humeur. Elle se montrait candide pour gagner la sympathie d'Aaron et pour l'encourager à poursuivre.

– Ayant accès aux courriels de Laurent, j'ai filtré ses derniers messages, et l'un d'eux a attiré mon attention. Il provenait de son psychiatre Victor Landèle.

– Tu as lu ses messages? fit Manson, étonnée.

Aaron ébaucha un sourire timide.

– Seulement les plus récents et c'était pour l'enquête.

– Tu as intérêt à ne pas mettre le nez dans ma messagerie, fit-elle sur un ton à la fois sérieux et amusé.

Aaron poussa un rire nerveux.

– Le message a été envoyé dix jours plus tôt. En gros, Victor annonçait à Laurent qu'il pouvait cesser immédiatement sa médication. Apparemment, ses récents progrès justifiaient ce changement. Ce qui m'a surtout intrigué, c'est le post-scriptum dans lequel Victor demandait à Laurent d'effacer ce message après l'avoir lu pour garantir le secret professionnel. Apparemment, Laurent n'a pas pris cette précaution.

Aaron se gratta la tête.

– Je trouve curieux qu'un psychiatre ait recours à Internet pour annoncer une nouvelle semblable et qu'il essaie de couvrir ses arrières dans son message. J'ai donc décidé de pousser mes recherches. Je voulais en savoir plus avant d'aborder Vincent avec cette information; alors j'ai décidé de vérifier l'adresse Internet du psychiatre. C'est là que mes découvertes sont vraiment devenues intéressantes. Bien que le courriel ait été signé par Victor Landèle, la boîte de messagerie de l'expéditeur n'était pas à son nom.

— De qui s'agit-il?

— Je ne me rappelle pas exactement. Un nom bizarre, genre indien.

Aaron fouilla les papiers sur son bureau.

— Le voilà, fit-il en récupérant une feuille remplie de gribouillages. Ajay Chowdenry. Le nom est si rare que je n'en ai trouvé qu'un seul dans l'annuaire téléphonique.

— Tu sais où il habite?

Aaron lui adressa un sourire triomphant en lui tendant la feuille.

— Exact, j'ai son adresse.

Chapitre 31

Vincent et Kerri s'étaient donné rendez-vous à deux pâtés de maison à l'ouest de la résidence de David Viau.

Ce fut une étrange rencontre. Les deux hommes passèrent un long moment à s'observer en silence. Cette conduite n'était pas conditionnée par la méfiance mais plutôt par un respect solennel. Bien qu'ils aient emprunté des chemins différents, ils s'étaient impliqués à fond dans cette affaire - leurs nombreuses blessures en témoignaient - et il semblait approprié qu'ils la terminent ensemble. Deux hommes, ayant combattu sur des fronts différents, en quête de la même victoire.

Vincent avait essayé de comprendre ce qui avait motivé Yan à vouloir rencontrer Kerri de cette façon, mais aucune hypothèse valable n'avait germé dans son esprit. Il trouva plus facile de le demander au policier qui haussa les épaules avec perplexité : Kerri n'avait jamais entendu le nom de Yan Juneau auparavant. Le policier semblait sincère, mais Vincent avait le sentiment qu'il lui cachait quelque chose. Toutefois, il préférait faire confiance à un policier aux motivations obscures plutôt qu'à l'homme qui avait essayé de tuer Olivia et qui était peut-être impliqué dans la série d'homicides et d'immolations survenus récemment. Vincent ne désirait pas soumettre Kerri à un interrogatoire rigoureux. Il n'était pas non plus dans une position pour réquisitionner son arme. D'ailleurs, ses blessures le diminuaient et, sachant qu'il n'était pas à son plein potentiel, il préférait ne pas être la seule personne armée si la situation tournait mal. Rien ne lui prouvait que Yan allait jouer franc jeu puisqu'il détenait un otage. Comme demandé, les deux hommes étaient venus seuls, mais ils n'allaient pas être imprudents pour autant.

Sincèrement, Kerri ne savait pas pourquoi Yan Juneau tenait à le rencontrer. Afin de gagner la confiance de Vincent, il lui fit part de certains faits. Il lui parla de sa grande amitié avec son partenaire Alexandre. Il ne cacha pas avoir profité d'un contact pour épier Vincent dans son enquête. Il ne précisa pas sa source, et l'inspecteur ne la lui demanda pas. C'était de cette façon qu'il avait pu le suivre au domicile de Laurent Hudson. Kerri avait dit la vérité jusqu'à maintenant. Par contre, il mentit en lui assurant que ses intentions n'avaient pas été d'abattre Laurent, mais de l'incarcérer.

Ayant été victime de la sauvagerie de Laurent, Vincent n'avait pas de difficulté à croire que Kerri ait été obligé d'ouvrir le feu. Son intervention lui avait peut-être sauvé la vie; qui sait ce que Laurent aurait pu lui faire en le trouvant inconscient dans son appartement? C'était la raison principale pour laquelle Vincent allait placer sa confiance en Kerri malgré les zones d'ombre de son histoire.

Les deux hommes abordèrent la situation à laquelle ils étaient confrontés. Ils se mirent d'accord sur deux choses : protéger la vie de David et essayer de capturer Yan vivant. Ils se dirigèrent vers la résidence du psychiatre. Ils ressemblaient exactement à ce qu'ils étaient : deux hommes éprouvés et épuisés, prêts pour le dénouement de cette rude enquête.

Ils s'arrêtèrent devant la maison et observèrent les alentours. Personne ne les épiait. Kerri traversa l'allée demi-circulaire bordée d'arbustes pour rejoindre la porte d'entrée. Une lumière au-dessus du porche lui permit de constater qu'elle était légèrement entrouverte. Vincent lui emboîta le pas.

Kerri songea à ce qui allait suivre. En abattant Laurent, il avait cru en avoir terminé avec cette histoire. Mais, si Yan s'avérait impliqué dans le meurtre d'Alexandre, Kerri comptait bien agir à sa façon. Mais, il n'était pas le seul qui allait à la rencontre de ce mystérieux personnage et il allait devoir composer avec la présence de Vincent. L'inspecteur n'avait certainement pas l'intention de se dérober à une procédure d'arrestation. Kerri savait qu'il ne pourrait pas le convaincre d'approuver une exécution et, pour cette raison, Vincent devrait être neutralisé. Mais pas question de l'abattre. À moins que la situation ne dégénère, Kerri espérait écarter Vincent en l'assommant. Le policier ne songeait plus aux conséquences s'il devait disposer de Yan. Les affaires internes et

Alphonse ne représentaient plus pour lui des préoccupations immédiates. Après avoir tué autant de personnes, Kerri pouvait bien ajouter un nom de plus à sa liste. Il savait qu'il n'arriverait pas à camoufler tout ce qu'il avait fait ce soir, mais il s'en foutait. Tout ce qu'il voulait, c'était d'en finir avec cette histoire.

Dès le moment où ils franchirent l'entrée, les deux hommes sortirent leur arme. La maison était plongée dans l'obscurité à l'exception d'un long couloir, éclairé par des lampes surmontées d'abat-jour, qui s'étirait devant eux.

Une porte entrouverte et personne pour les accueillir : Vincent avait un mauvais pressentiment. Le couloir dégageait une atmosphère lugubre. Ils marchèrent sur un tapis rouge impeccable et majestueux, comme s'ils étaient des domestiques appartenant à une époque lointaine, vêtus d'une livrée et cheminant pour servir leur maître.

Peut-être que Yan se tenait dans l'ombre pour vérifier si Vincent et Kerri étaient venus seuls? Si c'était le cas, ses inquiétudes auraient dû être dissipées depuis longtemps. Pourquoi tardait-il à se manifester? Si Yan avait choisi de garder le silence, qu'en était-il de David dont la présence était aussi impossible à discerner? Yan l'avait-il ligoté ou assommé?

Toutes les portes dans le couloir étaient fermées. Avec l'éclairage tamisé des abat-jour et la lumière lunaire qui filtrait par les fenêtres géminées de l'entrée, les deux hommes n'avaient aucune difficulté à se diriger.

Vincent restait vigilant, redoutant continuellement qu'un danger latent lui ait échappé. Il lui semblait inapproprié que Kerri et lui aient à se faire discrets puisqu'ils étaient attendus et que Yan avait exigé leur présence. À mi-chemin des deux extrémités du couloir, Vincent regarda derrière lui. La porte d'entrée lui paraissait éloignée et hors d'atteinte. Des gouttes de sueur perlaient à son front. Quelque chose n'allait pas. Pourquoi avait-il la conviction de tomber dans un piège? Pourquoi Yan refusait-il de se montrer? S'il restait caché dans l'intention de prendre Kerri par surprise, pourquoi l'avoir fait venir? S'il tenait à provoquer un bain de sang, pourquoi exiger la présence de deux adversaires plutôt qu'un?

Le bout du couloir s'ouvrait sur un salon situé sur la gauche. Plaqué au mur, à leur hauteur, se trouvait un petit meuble en chêne où trônait un objet. Kerri passa devant sans y prêter attention. Vincent s'était laissé légèrement distancer. À voix basse, il voulut rappeler Kerri, mais ce dernier disparut sur sa gauche en pénétrant dans le salon.

La nervosité de Vincent ne cessait de grandir. Son cœur battait follement. Il continua d'avancer avec précaution en passant à son tour près de la table. Il posa les yeux sur l'objet.

C'était un portefeuille en cuir effiloché aux extrémités. Vincent le reconnut aussitôt. Il voulut appeler Kerri, mais sa voix s'étrangla. Sous la lumière de l'abat-jour, l'objet semblait auréolé d'un halo maléfique et il exerçait une curieuse emprise sur lui. Vincent fut déstabilisé. Il eut l'impression que le couloir se refermait pour le comprimer. Quelque chose d'étrange se produisit. Ce fut comme si son esprit se réorganisait, transformant graduellement son identité. Vincent était incapable de détacher son regard du portefeuille. C'était un cadeau que son ex-femme lui avait offert quelques années plus tôt. Il l'avait égaré et, malgré ses recherches, il avait été incapable de le retrouver. Avant qu'il ait pu se demander comment cet objet s'était retrouvé là, quelque chose de merveilleux se produisit. Sa nervosité fut soudain balayée et Vincent perdit toute notion de la réalité.

Un peu plus loin, Kerri avançait dans le salon. La pièce était plongée dans l'obscurité, mais la lumière provenant du couloir lui permit de distinguer une silhouette assise dans un fauteuil roulant. Une couverture voilait le corps de la tête aux genoux. Braquant son arme devant lui, Kerri continua à avancer. Il tendit un bras et tira sur la couverture. Il découvrit un homme inerte. Le policier vérifia son pouls et ne perçut aucun battement cardiaque. Ils arrivaient trop tard pour sauver l'otage. Malgré la noirceur, Kerri distingua les yeux révulsés et la bouche tordue. Il remarqua aussi que l'homme avait reçu un violent coup derrière la tête et que le sang avait rendu ses cheveux poisseux.

Kerri entendit une voix derrière. Du coin de l'œil, il vit que Vincent se rapprochait.

– Yan a probablement paniqué, fit-il en abaissant son arme. Il a sûrement tué l'otage avant de prendre la fuite.

N'obtenant pas de réponse, Kerri se retourna.

Soudain, dans un éclair, il discerna la crosse d'un pistolet qui l'atteignit au-dessus de la tête et qui le projeta au sol. Le coup fut très violent et la douleur à son crâne, fulgurante. Il voulut se relever, mais un second coup s'abattit sur sa tempe gauche et Kerri perdit conscience.

Chapitre 32

Vingt ans plus tôt.

L'averse était diluvienne et le vent fouettait la carrosserie avec acharnement. Les éléments paraissaient conspirer contre lui en s'alliant avec ses poursuivants. Réglés à la vitesse maximale, les essuie-glaces couinaient en repoussant péniblement les accumulations d'eau. La route ruisselante ressemblait à la langue raboteuse d'un monstre géant. Les prévisions météorologiques n'annonçaient pas un temps aussi mauvais et, lorsque le jeune homme avait quitté l'école, l'orage n'avait pas encore éclaté.

Sa panique ne cessait de grandir. Il se fit violence pour essayer de garder son calme et de rester concentré sur la route.

Le véhicule des trois jeunes hommes demeurait dans la voie de gauche. Les deux voitures ne s'étaient pas heurtées, mais elles étaient très près l'une de l'autre. Paniqué, il chercha à l'éloigner. Sa Sunbird chancela et elle menaça de glisser vers l'accotement. Il se cramponnait au volant pour contrôler l'embardée comme un matelot accroché à la barre de son bateau malmené par les vagues d'une mer déchaînée. Il redressa le véhicule dans la voie de circulation.

Les larmes lui piquaient les yeux. La panique occultait ses réflexes et son jugement. Il avait de plus en plus de difficulté à se concentrer sur la route. Il était assiégé par les menaces qui l'entouraient et submergé par un chaos envahissant. Il pouvait presque entendre les moqueries de ses poursuivants qui sourdaient de leur voiture à la sienne. Il aurait dû ralentir et mettre fin à cette course ridicule, mais il en était incapable. Il se sentait coincé dans un piège lancé à toute vitesse.

Il n'aurait jamais dû se dresser contre eux. C'était téméraire et stupide de sa part, et maintenant il devait faire face aux conséquences. Mais il n'avait pas à endurer leur mépris et il savait qu'il avait fait le bon choix en les défiant. Seulement, il n'avait jamais pensé que la situation pouvait dégénérer à ce point. Que cherchaient-ils à accomplir? Étaient-ils gouvernés par leur orgueil blessé au point d'être prêts à commettre l'irréparable? La position qu'il avait prise à l'école n'était-elle pas anodine comparée au méfait auquel ses poursuivants se livraient? Un acte irréfléchi qui risquait d'avoir de graves conséquences d'un instant à l'autre.

Du coin de l'œil, il vit la voiture des trois jeunes hommes se rapprocher. Cette fois, il perdit le contrôle en cherchant à l'éloigner. Les pneus crissèrent et dérapèrent sur l'asphalte. La Sunbird fit un tête-à-queue, évitant de justesse le véhicule des trois jeunes hommes avant d'atteindre l'accotement et de verser dans le fossé. La voiture amorça une série de tonneaux. Un fracas de tôles froissées et de verre éclaté couvrit le tambourinement de la pluie. Les ténèbres déferlèrent sur lui avant que le véhicule ne soit immobilisé.

À partir de ce jour, plus rien ne serait comme avant.

Chapitre 33

Lorsqu'il se réveilla, Kerri émergea dans un univers âcre et douloureux. Il avait la tête lourde. Ces nouvelles blessures faisaient écho à celles reçues lors de la tentative de meurtre sur l'autoroute; les coups qu'il avait encaissés à la tête étaient comme deux épicentres d'où irradiaient des vagues concentriques douloureuses.

Il était ligoté avec un long fil mince sur une chaise. Kerri crut qu'il s'agissait d'un fil électrique. Il se débattit, mais il était solidement attaché. Ses vains efforts lui rappelèrent aussi son état précaire. Son corps fut parcouru d'élancements alors qu'il avait à peine bougé. Il avait très peu de chance d'arriver à se libérer par la force physique.

Kerri jura. Comment avait-il pu se faire avoir? Pendant un instant, il avait cru que son agresseur était Vincent. Mais c'était impossible, et l'inspecteur s'était probablement fait avoir par le même homme qui l'avait frappé.

Il regarda autour de lui. Il était dans le salon, pas très loin du lieu de sa chute. Quelqu'un avait allumé quelques bougies. Le faible éclairage ne lui permettait pas de distinguer toutes les proportions de la pièce. La plupart des meubles étaient éloignés, à la lisière de la lumière comme des créatures lucifuges. Kerri avait l'impression de se trouver dans un manoir au début de l'époque victorienne où l'électricité n'était pas encore inventée.

Il regarda sur sa droite. Croyant d'abord qu'il s'agissait d'une ombre, Kerri tarda à reconnaître la silhouette installée dans un fauteuil roulant. C'était le corps qu'il avait découvert avant de se faire assommer. Quelqu'un avait replacé le drap, imbibé de sang, pour dissimuler le visage.

— Parfois, je remercie le ciel pour ce qui m'arrive. La vie m'a fait subir de terribles épreuves, mais elle m'a aussi récompensé pour mes efforts.

La voix venait de par-delà le corps installé dans la chaise roulante. Une voix douce teintée de soulagement.

Blessé et ligoté, Kerri ne pouvait rien faire d'autre qu'attendre la suite des événements. Les secondes s'écoulèrent.

L'homme qui avait parlé s'avança. En découvrant qu'il était aussi en chaise roulante, Kerri ne put s'empêcher d'éclater de rire.

— Voyez-vous ça? On dirait que je me suis fait clouer à ce siège par une personne d'expérience.

Kerri n'était pas dans une position pour se montrer cinglant, mais il n'avait jamais été dans sa nature de rester docile et ce, même dans une situation aussi malencontreuse.

L'homme en chaise roulante continua à s'avancer et, émergeant de l'obscurité, il permit à Kerri de distinguer son visage à la lumière des bougies. Le policier ne riait plus.

– Ce n'est pas possible, déclara-t-il en reconnaissant le psychiatre. Ça ne peut pas être toi.

Désarçonné, Kerri vit sa stupéfaction se changer en effroi. Il s'efforça de se calmer et de trouver une explication rationnelle à cette démence.

David Viau se rapprocha. Il posait un regard perçant sur Kerri comme s'il pouvait voir à travers sa chair. Il ressemblait à un scientifique qui étudiait scrupuleusement un spécimen qu'il aurait pourchassé toute sa vie, ce qui n'était pas loin de la vérité.

– Vincent m'a dit que tu t'appelais David Viau, mais ce n'est pas ton vrai nom, dit Kerri. Ton nom est David Beauvais.

– C'était mon nom avant le jour qui a tout changé! C'était il y a longtemps. Je suis la même personne qu'autrefois, mais avec des restrictions causées par ma paralysie. J'ai gardé mon prénom, mais un logogriphe m'a permis de transformer mon nom de famille; une décision logique dans les circonstances. Je m'appelle aujourd'hui Viau et on retrouve toutes les lettres de ce nom dans Beauvais. Je me suis baptisé avec les «restes» de mon ancien nom, utilisant moins de lettres pour symboliser ma perte de motricité.

Kerri ne s'était pas encore remis de cette troublante rencontre. Il n'arrivait pas à croire ce qui se passait.

– J'aimerais que tu me dises comment tu te sens, immobilisé sur une chaise et incapable de te mouvoir, demanda David. Ce n'est pas un sentiment réjouissant de savoir qu'on ne peut pas bouger à sa guise. Maintenant, essaie de t'imaginer cloué à cette chaise pour toujours. Tout ce que tu peux faire, c'est de vivre avec l'irréparable. Essaie de concevoir que tu dois combattre cette terreur chaque jour.

Kerri déglutit douloureusement. David reprit :

– Même les pires terreurs peuvent aboutir à quelque chose de merveilleux. C'est ce que je veux te raconter. Je veux que tu écoutes toute mon histoire. Tu as toujours été celui qui entraînait les autres. C'est pour cette raison que je voulais que tu sois le dernier à mourir.

David n'employait pas un ton tranchant, mais ses affirmations dénotaient un brin d'autorité. Il recula dans la pénombre sans faire le moindre bruit. On aurait dit que son fauteuil était une extension de son corps.

– Heureusement que je ne suis pas devenu tétraplégique, sinon je n'aurais jamais pu réaliser mon ambition. L'usage de mes bras m'a assuré une certaine autonomie que j'ai exploitée au maximum.

Kerri garda le silence. Il s'était partiellement remis du choc de cette rencontre et il essayait déjà de trouver une façon de s'en sortir. Il se contenta de fixer David, comme un prisonnier feignant la soumission et attendant le bon moment pour attaquer son geôlier. David faisait remonter un passé lointain que Kerri avait quelque peu oublié avec les années.

– J'avais de nombreuses fractures. Je saignais beaucoup et j'étais dans un état critique. Heureusement pour moi, trois jeunes hommes courageux se sont portés à mon secours après avoir vu ma voiture déraper sous l'averse battante. Ce fut du moins la version rapportée dans les journaux.

Kerri secoua la tête. Les souvenirs affluaient par bribes confuses comme des images floues qui refusaient de se préciser. Déconcerté, il essayait de se remémorer clairement les articles parus dans les quotidiens, auxquels il avait accordé peu d'importance, à l'époque.

– Lorsque j'étais dans le coma, à l'hôpital, un journaliste avait pris une photo de vous dans ma chambre. On voyait Jérémy, Alexandre et Kerri : les trois héros réunis au chevet du jeune homme qu'ils avaient secouru.

David s'était préparé pendant des années à ce moment et il contrôlait parfaitement ses émotions. Il semblait impossible à déstabiliser.

– Le coma de stade 1 dont je souffrais est peu profond. À mon réveil, vous n'étiez plus là. Vous n'aviez plus besoin de l'instrument brisé qui vous avait donné votre gloire. Vous étiez libres de passer à autre chose tout comme les journalistes qui ont couvert l'accident. Il ne restait plus que celui que vous aviez laissé derrière; le rebut à qui vous aviez sauvé la vie. J'avais des fractures aux deux bras et la mâchoire brisée. Il m'était impossible de communiquer. Je ne pouvais pas parler ni écrire. Impuissants, les médecins m'ont appris la terrible nouvelle : plus jamais je ne marcherais. Et, pour m'aider à retrouver le moral, mes trois sauveurs revinrent me voir à l'hôpital. Un journaliste immortalisa cette visite par un cliché de vous trois à mon chevet. Sur la photo, je pleurais et, comme je ne pouvais crier que mes sauveurs étaient mes bourreaux, mes larmes furent interprétées comme un signe de joie. En plus de tout ce que j'avais perdu, je ne pouvais même pas dire la vérité. Le malheur dans lequel vous m'aviez plongé était devenu votre triomphe.

David s'interrompit. Il continuait à s'exprimer avec une voix pleinement maîtrisée, ne cédant ni au chagrin ni au sarcasme.

— Je n'étais plus qu'une coquille brisée et je devais vivre ma douleur en silence. Et pour quelle raison? Parce que je vous avais défiés dans une cour d'école alors que vous étiez les agresseurs? Est-ce que cet affront ridicule méritait vraiment de telles conséquences?

Si les souvenirs de Kerri étaient indistincts, ceux de David s'avéraient d'une grande clarté. Il se rappelait trop bien l'accident. Il revoyait la voiture des trois jeunes hommes qui se rangeait sur sa gauche, dans la voie normalement résevée au trafic inverse, et les rapprochements destinés à le faire paniquer. Puis, était survenue la perte de contrôle.

— Durant les jours où je ne pouvais ni parler ni écrire, mes proches n'ont jamais su interpréter ma véritable douleur. J'avais perdu l'usage de mes jambes et je souffrais à cause de nombreuses blessures. Pourtant, mon pire tourment fut le mensonge que je devais supporter. Tout le monde me racontait votre bravoure et la chance que j'avais eue malgré l'accident. Si personne ne s'était porté à mon secours aussi vite, j'aurais probablement péri. Je ne pouvais pas supporter les sourires de mes proches à votre endroit.

Kerri était incapable de détacher ses yeux de David. Les souvenirs affluaient, témoins d'un passé où il avait encore de la difficulté à se situer. Kerri se rappelait que son véhicule n'avait subi aucun dommage et que les traces de pneus sur la chaussée n'indiquaient le dérapage que d'une seule voiture. Jamais les policiers dépêchés sur les lieux n'avaient songé que les trois jeunes hommes aient pu être impliqués dans l'accident. David continua:

– À l'hôpital, quatre mois se sont écoulés avant que j'arrive à prononcer une première parole. J'avais dû vivre avec ce mensonge pendant tout ce temps. J'ai gardé ce poison en moi si longtemps que je pouvais dorénavant le supporter pour toujours. Lorsque j'ai pu parler, j'ai préféré taire la vérité. Puisque mes rêves et mes ambitions étaient brisés, je me suis accroché à la seule chose qui pouvait me garder en vie: la vengeance.

Kerri était étonné de réaliser à quel point il gardait un souvenir aussi vague de l'accident et des événements qui en avaient découlé. C'était il y avait combien d'années? Sa tête qui l'élançait ne l'aidait pas à réfléchir. Pourtant, il n'avait aucune raison de croire que le psychiatre déformait les faits.

– Je n'ai jamais eu l'intention de te faire perdre le contrôle de ta voiture, dit Kerri.

C'était les premières paroles qu'il prononçait depuis un bon moment. Il ne cherchait pas à se faire pardonner. Seulement, ses intentions d'alors constituaient son souvenir le plus précis. Emporté par l'agitation et l'enthousiasme de ses camarades dans le véhicule, il se rappelait avoir voulu faire peur à David sur la route. Toutefois, il n'avait jamais espéré provoquer un accident. Naturellement, les trois jeunes hommes s'étaient rués au secours de David après avoir vu sa Sunbird faire des tonneaux. Pris de remords, ils s'étaient rendus à l'hôpital par la suite. Le fait que David était inconscient avait facilité leur visite. Avant même qu'ils aient à expliquer quoi que ce soit, les gens avaient fait d'eux des héros. Le mensonge s'était tissé avant qu'ils aient à le formuler. Nul ne se doutait de leur responsabilité dans l'accident, à l'exception de David qui était dans le coma. Ainsi donc, avec personne pour les contredire, pourquoi ne pas accepter les honneurs plutôt que d'être considérés comme des lâches? Ils aimaient cette publicité qui faisait d'eux des vedettes, et les trois jeunes hommes n'avaient eu aucun problème à s'approprier cette gloire inventée. Ils en étaient même venus à croire qu'ils avaient réellement sauvé David d'une mort certaine. Les jours avaient passé, et Kerri se rappelait comment il avait été facile d'oublier rapidement cette histoire.

– C'est à ce moment que vous avez fait

preuve de conscience et que vous vous êtes arrêtés. Peut-on parler de bonté lorsqu'on se porte au secours d'une personne qu'on a condamnée à la chaise roulante? Ironiquement, ce geste dicté par une pitié tardive aura, plusieurs années plus tard, entraîné votre perte. Ce ne fut pourtant pas facile. Alors que j'étais soigné à l'hôpital, le désespoir m'accablait et mon désir de me faire justice était encore fragile à cette époque. Il me semblait impossible de vivre avec ma paralysie et je n'arrêtais pas de me remettre en question. J'ai été aussi tenté de mettre fin à mes jours, mais, ne supportant pas l'idée de vous épargner, j'en fus incapable.

Les épaules de David tressaillirent faiblement. La lumière tamisée et légèrement chancelante des bougies créait des ombres qui se posaient délicatement sur les traits du psychiatre, magnifiant son visage au lieu de le voiler.

— Mais une fois que j'ai accepté de dévouer ma vie à la vengeance, votre chute est devenue mon seul objectif. Chacune de mes pensées et chacun de mes choix professionnels servaient secrètement ce but.

Soudain, Kerri songea à Vincent. Que lui était-il arrivé? Il jeta des regards autour, mais il ne vit l'inspecteur nulle part. David poursuivit son discours sans se soucier de ce que Kerri pouvait chercher.

— J'ai toujours cru qu'un important désordre psychologique pouvait entraîner des maladies et des problèmes de santé. Le tourment peut affecter physiquement les gens en déstabilisant leur métabolisme. Au fil des ans, à mesure que je dressais mon plan contre vous, je me suis renseigné. J'ai appris que vous étiez des hommes en parfaite santé et que vous viviez une vie normale et sans problème. Lorsque j'ai compris que vous n'étiez pas rongés par le remords de ce que vous m'aviez fait - ou du moins que vous ne l'étiez pas suffisamment pour que votre santé en soit affectée –, je suis devenu impitoyable. C'est ce qui m'a irrité le plus et motivé à poursuivre mon objectif de vous faire payer. Il n'était pas question pour moi de revenir sur ma décision et de songer à vous pardonner. Je suis devenu le spectateur vindicatif dans l'ombre de votre réussite.

Kerri se demanda si David était réellement aussi bien renseigné sur eux. Pourtant, il n'avait aucune difficulté à croire que le psychiatre avait su employer tous les moyens nécessaires pour obtenir les informations qu'il convoitait et arriver à ses fins.

— J'en étais venu à prier secrètement pour qu'il ne vous arrive rien. Mon malheur n'était plus ma condition, mais l'incertitude par rapport à l'avenir. Je ne craignais plus qu'une chose : ne pas avoir un délai suffisant pour prendre ma revanche. Après avoir quitté l'hôpital, j'ai passé beaucoup de temps à l'Institut de réadaptation de Montréal pour accroître ma mobilité et regagner mon autonomie. Et j'ai évalué mes options. Je me suis inscrit à l'université pour étudier la psychiatrie et la psychologie.

Kerri ne s'était jamais senti aussi vulnérable. Curieusement, ce sentiment n'était pas engendré par son immobilité, mais par le charisme de David. Le policier réalisait que son adversaire était bien mieux préparé que lui. Lorsqu'il s'était promis de retrouver le meurtrier d'Alexandre, il s'était jeté dans un piège qui s'était tranquillement refermé sur lui.

– Puisque ma condition ne me permettait pas de m'en prendre directement à vous, il me fallait trouver des individus pour le faire à ma place. Il n'était surtout pas question de payer des tueurs à gages. De tels hommes n'auraient rien compris à mes motivations. Il me fallait des personnes programmées et non de vulgaires loubards motivés par l'argent. Mes messagers devaient incarner ma vengeance; c'était la seule façon pour moi de m'en libérer.

Kerri n'avait toujours pas imaginé un moyen de s'échapper. Il espérait que l'occasion allait se présenter d'elle-même s'il restait aux aguets. Il ne pouvait rien faire d'autre d'ailleurs. Le psychiatre reprit:

– Après l'université, j'ai fait de la consultation à la clinique communautaire et au service des soins palliatifs de l'Hôpital Royal Victoria. Ensuite, j'ai commencé à m'occuper de jeunes en difficulté au Centre Mariebourg sur le boulevard Gouin, l'un des quartiers résidentiels les plus pauvres de Montréal. Francis était le directeur général du Centre à cette époque et, heureusement pour moi, il était abattu par des problèmes personnels. J'ai promis de lui venir en aide s'il acceptait de m'aider dans mes expériences. Il a approuvé et est rapidement devenu un allié très utile. À cette époque, je m'intéressais surtout aux enfants perturbés et aux troubles précurseurs de la personnalité multiple. Je savais qu'un esprit fragmenté m'offrait la clef de l'asservissement, mais les dédales de l'esprit sont complexes. Pour gouverner un esprit, je devais décoder les rouages de l'inconscient. Je m'intéressais beaucoup au développement cognitif de l'enfant. J'avais donc besoin de jeunes sujets et, avec le Centre Mariebourg, je disposais d'un très grand échiquier; il ne me restait plus qu'à trouver les bons pions.

Le psychiatre ferma les yeux. Il paraissait si frêle dans son fauteuil et, paradoxalement, il était habité par une force ahurissante. En livrant ses confessions, David n'essayait pas de se disculper et de justifier ses actions. Il expliquait son cheminement avec le même raisonnement méticuleux qui l'avait amené à prendre des décisions irrévocables. Avec les années, David avait appris à murer sa folie dans une redoutable logique.

– N'obtenant pas les résultats escomptés, j'ai élargi mes horizons tout en continuant à rencontrer des enfants du Centre Mariebourg. J'ai rédigé de nombreux articles scientifiques sur la psychiatrie et sur les maladies mentales. J'ai aussi présidé le conseil d'administration de l'Institut de réadaptation de Montréal. J'avais acquis suffisamment d'expérience pour la prochaine étape qui consistait à m'occuper de patients psychiatriques dangereux à l'Institut Philippe-Pinel. J'y dressais des profils et je gagnais la confiance d'hommes instables et violents. Je faisais partie du conseil qui votait leur réinsertion en société. J'avais d'abord songé à réduire la sentence de certains patients en échange de leur aide, mais ils étaient beaucoup trop imprévisibles pour que je puisse m'assurer de leur loyauté. Ils risquaient d'échouer ou de se faire prendre et d'avouer notre entente dans l'espoir d'obtenir une remise de peine. J'ai vite compris que je devais continuer avec des enfants; des sujets qui me seraient plus faciles à gérer.

Kerri maugréa. Il devait gagner du temps s'il voulait trouver une façon de s'en sortir. À contrecœur, il devait prolonger cette conversation.

– Qu'est-ce que le directeur du Centre Mariebourg a à voir dans cette histoire? Qu'avait-il à gagner en t'aidant?

– Francis était aussi en quête de vengeance. Sa femme l'avait quitté pour un autre homme. Il était habité par une tristesse affligeante qui n'a eu d'égal que la colère qu'elle a engendrée. Francis était toujours éperdument amoureux d'Olivia et il ne supportait pas d'être rejeté. Il avait déjà consulté des psychologues auparavant, mais ses thérapies ne le menaient nulle part. Pour lui, la trahison de sa femme était injuste et inacceptable. J'ai fini par lui faire admettre que la vengeance habitait secrètement ses pensées et qu'elle était la seule solution à ses souffrances. Pour gagner sa confiance, je me suis aussi confié à lui. J'ai tout raconté: mon accident, le mensonge de votre bravoure, mon ascension professionnelle et, finalement, mon désir de me faire justice. Francis fut touché par ma franchise. Il considérait ma détresse comme similaire à la sienne et il n'avait pas tort puisque nous avions été trahis tous les deux. Je savais que Francis n'aurait jamais le courage de tuer une personne, mais il m'offrait quelque chose d'encore mieux: sa loyauté. Il promit de m'aider et je lui fis la même promesse. Il n'a jamais été dans mes intentions de profiter de sa souffrance. Je comprenais ce qu'il traversait et nous avions réciproquement besoin l'un de l'autre pour obtenir ce que nous voulions.

Discrètement, Kerri essayait de forcer ses liens dans l'espoir de les briser.

– Lorsque je lui ai expliqué mon plan, Francis a tout de suite accepté de m'aider et nous avons commencé à étudier chacun des enfants qui se présentait au Centre Mariebourg. Personne n'avait le moindre soupçon sur nous puisque nous étions irréprochables dans nos fonctions. Francis m'envoyait les cas les plus graves pour que je puisse les traiter individuellement. Parallèlement aux progrès que je déterminais chez les enfants, je sélectionnais ceux qui pourraient nous servir. Mon ambition ressemblait davantage à une affabulation qu'à un objectif concret, et plusieurs années s'écoulèrent avant que j'obtienne des résultats. Francis devenait impatient, mais l'indifférence de sa femme lui a fait tenir le coup pendant toutes ces années. Finalement, je suis arrivé à trouver une façon de manipuler les esprits comme je le souhaitais en exploitant la maladie mentale et l'hypnose.

— Tu es en train de me dire qu'Alexandre a été tué par un foutu schizophrène?

— Pierre Denis n'était pas schizophrène. Lui et mes autres patients souffraient d'un trouble dissociatif de l'identité. Ce trouble représente une véritable épidémie cachée dans nos sociétés. Pendant une séance thérapeutique, j'arrivais par hypnose à faire de ce désordre mental un mécanisme de contrôle en implantant une personnalité dominante qui asservissait mon patient. Je terminais avec une hypnose régressive pour lui faire oublier que j'avais trafiqué son esprit. Nous poursuivions la thérapie. Je faisais en sorte que le trouble dissociatif de l'identité demeure latent et j'aidais mon patient pour qu'il puisse fonctionner dans la vie quotidienne.

— Ça n'a pas beaucoup de sens pour moi.

— Peu importe. Ironiquement, tous les patients qui ont servi mes desseins étaient des enfants, comme Pierre, que j'avais traités au tout début de mon implication au Centre Mariebourg. Ils étaient devenus de jeunes adultes en mal de vivre. Ils sont revenus me voir pour que je leur apporte mon aide et j'ai accepté avec le plus grand plaisir. J'avais déjà une influence sur eux et, ayant peaufiné ma méthode avec les années, j'ai pu finalement arriver à mes fins.

La colère de Kerri était comme un poison qui coulait dans ses veines. Il se sentait frustré et ridicule d'être à la merci d'un paraplégique. Il devait continuer de gagner du temps.

— Combien de personnes? Combien de marionnettes as-tu sous ton emprise?

— Suffisamment. Avant le meurtre d'Alexandre, j'avais à mon service plus d'une dizaine de patients; plus qu'il ne m'en fallait pour noircir tous les noms figurant sur ma liste. De ces patients, j'ai choisi ceux en qui j'avais le plus confiance. Tout s'était bien passé jusqu'à Yan Juneau. Apparemment, j'ai mal évalué son potentiel. La personnalité dominante que j'avais implantée en lui n'est pas arrivée à garder le contrôle jusqu'à ce qu'il en ait terminé avec Olivia. Yan s'est réveillé avant de porter le coup fatal. En pleine confusion, il n'avait probablement aucun souvenir de ce qu'il venait de faire. Désorienté, il s'est enfui de l'Hôtel-Dieu et il est venu me voir. Apparemment, j'étais celui en qui il avait le plus confiance. Ce fut une bonne chose puisqu'il m'aurait été difficile, voire impossible, de le retrouver autrement.

David pointa un doigt en direction de la silhouette couverte d'un drap et affaissée sur la chaise roulante.

— Yan est venu me trouver pour que je l'aide et c'est exactement ce que j'ai fait en le libérant de ses souffrances.

Un nouveau silence suivit. Chaque pause semblait définitive, comme si David allait se lasser de cette conversation et achever Kerri.

— Sur la table du salon, je garde un gros cendrier en céramique pour mes amis qui fument. J'ai demandé à Yan de me l'apporter et, après qu'il se soit agenouillé près de ma chaise en pleurant, j'ai utilisé le cendrier pour lui fracasser l'arrière du crâne.

David leva les deux bras qu'il abattit dans un geste vertical pour simuler le geste.

– Les événements se sont bousculés. Je croyais que ma technique d'hypnose était sans faille, mais Yan m'a prouvé le contraire. Il semblerait qu'en passant à l'acte un conflit interne ait éclaté en lui. J'aurais cru que la pire conséquence aurait été qu'un patient se mutile pendant ou après avoir commis le meurtre pour lequel il avait été programmé. Toutefois, Yan a su résister.

David s'exprimait avec un détachement affligeant. Il parlait de ses patients et de leur victime comme s'il ne s'agissait que de simples données dans une équation anodine.

– Il faut dire qu'en plus de l'échec de Yan, la trahison de Francis a aussi compliqué les choses. Même s'il avait chéri le jour où il obtiendrait vengeance, Francis n'a pas été capable de se rendre jusqu'au bout. Je ne m'attendais pas à ce revirement. Je n'aurais pas dû le charger d'envoyer l'objet qui devait éveiller la personnalité dominante de Yan. Il devenait complice de la mort d'Olivia et c'était trop pour lui. Si au moins Francis était venu me voir plutôt que de se livrer à la police, la crise aurait été mieux contenue et je n'aurais pas eu à faire intervenir mon dernier pion. Mon ultime pion, devrais-je dire.

Pour la première fois, David fut trahi par ses émotions alors qu'un petit sourire triomphant se dessinait sur ses lèvres. Une esquisse éphémère qui se dissipa rapidement lorsque son expression redevint neutre. Kerri était ahuri de le voir dominer à ce point ses sentiments. Pendant des années, David Viau avait appris à distiller le fiel de sa colère pour devenir froid et impassible. Kerri intervint :

— Je ne comprends rien à ce que tu dis. Tu parles de contrôle, de personnalité dominante et d'un ultime pion. Qu'est-ce que c'est que toutes ces conneries?

— J'imagine que ce serait plus facile si tu pouvais contempler mon chef-d'œuvre de tes propres yeux. N'est-ce pas, inspecteur?

David jeta un regard par-dessus l'épaule de Kerri. Le policier entendit un bruit derrière lui et il se retourna. Sur sa droite, il aperçut furtivement une silhouette qui s'avançait. Kerri n'en crut pas ses yeux. Il reconnut Vincent, mais, à chaque clignement de paupières, il espéra que cette image soit balayée. Pourtant, le portrait restait en place, donnant une réalité bien concrète à cette folie. D'une certaine façon, bien que son apparence fût la même, Vincent était méconnaissable. Il affichait une expression d'apathie et son regard morne n'avait plus aucune étincelle. Vincent était docile et asservi comme un automate. Cette absence de volonté angoissa profondément Kerri.

— C'est impossible, dit-il à voix haute.

Il se tourna vers David qui ne l'avait pas quitté des yeux pour se délecter de son incompréhension. Kerri s'agita sur son siège. Son obstination revigora ses énergies, mais il s'épuisa rapidement. Il foudroya le psychiatre du regard.

– Qu'est-ce que tu lui as fait? Je ne peux pas croire que Vincent soit ton complice.

– Vincent n'est pas mon complice. Il est mon patient.

Chapitre 34

La maison offrait un curieux mélange d'architecture rustique et contemporaine. Une grande résidence répartie sur un seul étage avec un sous-sol. Les murs étaient en brique. Sur le toit, plusieurs bardeaux brisés avaient cédé aux assauts des intempéries. Une aura sinistre émanait de cette demeure plongée dans l'obscurité.

Manson poussa un profond soupir. Qu'est-ce qu'elle faisait là? Après qu'Aaron lui eut donné l'adresse, elle lui avait fait promettre de cacher ses découvertes à Vincent jusqu'à ce qu'elle eût jeté un coup d'œil au domicile. Mais que cherchait-elle à prouver? Une reconnaissance de la part de ses supérieurs ou un moyen de se faire remarquer de Vincent? Elle secoua la tête. C'était ridicule et, pourtant, elle voyait dans sa démarche une manière pour se rapprocher d'un homme qu'elle n'avait fait qu'éloigner avec son cynisme. Un homme qu'elle n'arrivait pas à oublier malgré tous les efforts qu'elle déployait pour l'écarter de sa vie. Elle reporta son attention sur le domicile. L'obscurité paraissait plus profonde, comme si la maison se savait épiée et cherchait à dissuader la jeune femme d'approcher.

Manson évalua ses options. Elle songea à appeler des renforts, mais y renonça. Qu'allait-elle leur dire? Qu'Aaron avait fait des fouilles illégales et qu'elle s'apprêtait à pénétrer dans une propriété sans mandat? Elle ne pouvait compter sur l'aide de personne tant qu'elle n'aurait pas fait de découvertes concluantes. Elle hésita à faire demi-tour, mais le visage de Vincent s'imposa dans son esprit et elle ne put se résoudre à partir. Elle soupira profondément et décida d'aller jusqu'au bout. Elle ouvrit la portière et sortit de la voiture.

Manson était habillée en civile. Elle avait emporté son insigne, une lampe de poche et son arme. À croupetons, elle se rapprocha de la maison et rejoignit l'ombre d'un bosquet d'arbustes. Une petite brise soufflait, effleurant délicatement ses joues.

Même si toutes les lumières étaient éteintes, Manson se sentait observée depuis la maison. Elle avait l'impression que le bruissement de l'herbe sous ses pieds révélait sa position. Même le tambourinement effréné de son cœur semblait s'amplifier à l'extérieur de son corps pour trahir sa présence.

À nouveau, elle songea à rebrousser chemin. Elle ferait peut-être mieux de partir avant d'attirer l'attention. Pourtant, son intuition lui soufflait qu'elle n'était pas venue en vain. Manson pouvait vérifier l'intérieur du domicile en espérant faire une découverte compromettante. Si les résidants n'avaient rien à se reprocher et si elle était surprise, elle pourrait toujours brandir son insigne et inventer une excuse pour justifier sa présence.

Elle quitta l'ombre du bosquet pour rejoindre l'arrière de la demeure. La clarté de la lune lui suffisait pour s'orienter. Bien qu'il fût improbable qu'une personne occupât la maison, Manson n'arrivait pas à se débarrasser de l'idée qu'elle était observée. Elle longea le mur pour rejoindre la porte arrière. Si l'avant de la demeure offrait une allure salubre, l'arrière était dans un état d'abandon affligeant. De hauts amoncellements de détritus jonchaient le sol. La pelouse était détrempée à certains endroits, créant un bruit de succion sous ses pas. Une odeur d'huile emplissait l'air. Manson jeta un regard furtif à l'intérieur par la fenêtre de la porte arrière. Elle plissa les yeux pour tenter de distinguer un signe d'activité; elle ne vit rien dans la noirceur qui éveillât ses soupçons. Elle fit tourner la poignée sans problème; la porte n'était pas verrouillée. Elle l'ouvrit suffisamment grand pour d'entrer.

Aussitôt, un cri strident se fit entendre. Manson sursauta. Elle resta paralysée pendant deux secondes. Cette fois, l'appel de renfort était fondé. Il aurait été plus avisé de rebrousser chemin et de demander assistance, mais le cri entendu dénotait une urgence qui ne permettait pas à Manson de différer son intervention. Elle alluma sa lampe de poche et sortit son arme. Sous le coup d'une impulsion, elle se rua à l'intérieur. Elle fit irruption dans un couloir. Le faisceau de lumière balaya des murs de papier peint. Le cri avait cessé et laissait la maison dans un silence oppressant. Les mains tremblantes, Manson avança tranquillement. Elle trouva une porte ouverte sur sa gauche. S'y étant engagée, elle pénétra dans une grande pièce encombrée de nombreux meubles.

Elle progressait prudemment lorsque la lumière inonda la pièce; quelqu'un venait d'appuyer sur le commutateur, derrière. Elle fit volte-face, mais il était déjà trop tard. Une ombre fondit sur elle et un objet contondant s'abattit sur ses mains pour lui faire perdre son arme et sa lampe de poche. Une douleur vive remonta jusque dans ses épaules, alors que ses bras retombaient à la verticale. Le même objet l'atteignit près de la tempe droite. Poussant un cri de douleur, Manson s'affaissa sur le sol.

Aussitôt, elle fut empoignée par deux mains fermes. Sa chemise fut déchirée alors qu'elle était forcée à s'asseoir sur le sol. Elle essaya de se défendre, mais elle arriva à peine à remuer ses bras engourdis. Elle sentit quelque chose percer sa chair à la base de son cou. Son agresseur venait de lui faire une piqûre.

Manson releva la tête, mais elle n'arriva pas à distinguer le visage de la silhouette qui la dominait, son champ de vision n'étant plus qu'un relief d'images embrouillées.

– Je vous ai offert le baiser d'un fer-de-lance, fit une voix caverneuse.

La silhouette exhiba sa seringue sous les yeux de sa victime, mais Manson ne discerna qu'une tige sinueuse dans un tableau psychédélique.

Elle avait la tête lourde. Ses bras retombèrent

mollement et ses yeux roulèrent dans leurs orbites. Puis, l'obscurité s'abattit. Manson s'évanouit, poursuivie par le ricanement de son agresseur.

Chapitre 35

Elle reprit connaissance dans un sursaut, comme si une décharge électrique venait de traverser son corps. Elle essaya de se relever, mais elle en fut incapable. Elle était attachée à une chaise avec des lanières de cuir. Son agresseur l'avait déshabillée et ne lui avait laissé que ses sous-vêtements. Manson paniqua et elle se débattit violemment. Elle freina rapidement ses ardeurs qui ne faisaient que la blesser davantage. Son poignet droit était enflé, mais elle arrivait à le bouger. Il ne semblait pas brisé.

Serrant les dents, elle baissa la tête et observa sa peau laiteuse dans la lumière crue d'une ampoule électrique suspendue au plafond. Avec ses quelques kilos en excès, son corps était potelé aux endroits où il était ferme autrefois. Manson poussa un cri de rage et de frustration. Comme cela ne la menait à rien, elle s'efforça de se calmer. Elle se remémora les derniers événements précédant sa perte de conscience. La lumière avait inondé la pièce et une silhouette s'était ruée sur elle alors qu'elle se retournait.

Des larmes lui piquèrent les yeux. Elle se maudissait d'être venue seule. Curieusement, les élancements qu'elle ressentait à la tête ne lui semblaient pas résulter du coup qu'elle avait reçu. La douleur irradiait dans tout son crâne et se répercutait jusque dans sa mâchoire.

Manson observa la pièce dans laquelle elle était confinée. Elle se trouvait face à des étagères où trônaient des reptiles empaillés, figés éternellement dans des poses d'attaque. Ils ressemblaient à des rubans irisés avec leurs écailles gris-vert qui chatoyaient sous la lumière de l'ampoule. Il y avait aussi des bocaux contenant les vestiges de petits serpents noyés dans du formol. Même dans la mort, les reptiles semblaient menaçants, exposant leurs crocs avec défi. Manson arrivait presque à entendre leurs sifflements qui l'avertissaient que leur immobilité n'était qu'un leurre et qu'ils l'attaqueraient à l'unisson si elle essayait de s'échapper. Elle frissonna à l'idée que son agresseur était un taxidermiste aux goûts exotiques. Elle essaya à nouveau de se libérer, mais à chaque effort, les courroies la punissaient en meurtrissant sa chair.

Elle jeta un regard à la ronde à la recherche d'une issue, mais elle était entourée d'étagères qui lui bloquaient la vue. Bien qu'elle s'efforçât de ne pas céder à la panique, sa respiration s'accéléra. Malgré le danger, elle ne put s'empêcher d'éprouver de la gêne et de la colère en se retrouvant ligotée sans ses vêtements. Dans quel but son agresseur l'avait-il déshabillée? Avait-il l'intention de la violer? Cette idée fit trembler Manson. Elle était désespérée et se sentait humiliée.

Elle se permit une lueur d'espoir. Si son agresseur avait fouillé ses vêtements et trouvé son insigne, il devait savoir qu'il ne pouvait pas la séquestrer sans s'exposer à de graves conséquences. Il n'avait pas affaire à une gamine en fuite et il devait se douter que des effectifs policiers seraient déployés si elle venait à disparaître. Pourtant, si son agresseur avait découvert son insigne, il ne l'avait de toute évidence pas libérée pour autant. Il n'avait pas paniqué en ligotant Manson et il attendait patiemment qu'elle reprenne connaissance. Combien de temps s'était-il écoulé depuis qu'elle avait été frappée? Plutôt que de la sauver, son insigne allait peut-être la condamner à une fin atroce. Serait-elle découpée en morceaux pour garnir les étagères près des serpents?

Manson secoua la tête avec obstination. Elle ne voulait pas finir de cette façon; elle ne voulait pas devenir le trophée d'un esprit détraqué.

Ce fut à ce moment qu'elle entendit un bruit derrière. Manson se raidit et prêta l'oreille. On aurait dit une serrure ou un cadenas manipulé. Elle sursauta en entendant le fracas métallique d'une porte coulissante qui glissait dans une rainure horizontale.

Elle devait rester calme. Elle se concentra sur sa respiration, inspirant et expirant calmement. Mais lorsque la porte fut refermée, elle ne put s'empêcher de tressaillir. Des pas lourds résonnèrent comme si un géant approchait. Un homme à la forte carrure passa sur sa gauche. Il continua son chemin comme si Manson n'était pas là, s'immobilisant devant une étagère chargée de bocaux. L'homme portait un pantalon en toile beige et une épaisse chemise noire. Elle entendit des tintements de verre alors qu'il manipulait des bocaux. Il lui tourna le dos pendant un long moment et Manson fut incapable de distinguer son visage. Cette attente était insupportable. Ce qui lui arrivait devenait trop irréel.

Alors que les douleurs lancinantes dans son crâne s'intensifiaient, elle vit l'individu se retourner pour lui faire face. Manson rencontra son regard en s'efforçant d'endiguer les larmes qui menaçaient de lui brouiller la vue. Ajay Chowdenry avait un teint rougeâtre qui confirmait une ascendance amérindienne. Sa peau parcheminée rendait son âge difficile à déterminer, mais Manson avait la conviction qu'il était plus jeune qu'il ne le paraissait. Elle le situa entre quarante et cinquante ans. Il avait des traits sévères et un regard alerte. Une longue cicatrice partait de la commissure de ses lèvres pour remonter sous son œil gauche. L'homme examina le corps de la jeune femme. Son regard ne trahissait aucune lueur de désir ou de perversion sexuelle.

Manson essaya de parler, mais sa voix s'étrangla. La gorge nouée, elle déglutit douloureusement. Elle s'arma de courage et parvint à articuler:

— Je travaille pour la Sûreté du Québec. Des enquêteurs savent que je suis ici. Vous ne pouvez pas me retenir contre ma volonté.

L'homme ne répondit pas, se contentant de dévisager Manson avec curiosité.

— Écoutez-moi, continua-t-elle avec une note

de détresse dans la voix. Vous vous exposez à de graves conséquences si...

Ajay coupa Manson.

– Tu ne devrais pas t'inquiéter de ce qui va m'arriver, mais plutôt de ce qui t'attend.

Sa voix était rauque et modulait des inflexions sépulcrales.

– Je vous répète que des enquêteurs savent que je suis ici, fit-elle sans grande conviction. Dès qu'ils réaliseront qu'ils n'ont plus de mes nouvelles, ils ne tarderont pas à me rechercher et à me trouver.

– C'est ce que nous allons vérifier.

Les yeux de l'homme brillaient d'une lueur malicieuse lorsqu'il adressa un sourire cruel à la jeune femme. Il n'y avait aucune note de défi dans sa voix : seulement la certitude qu'il écarterait sans peine tout affront que Manson pourrait lui faire.

– Qu'est-ce que vous voulez?

– Observer ta transformation. Je veux voir à l'œuvre le cadeau que je t'ai donné.

Son visage se crispa. Elle songea aux élancements à son visage et à ceux qui lui parcouraient le corps; des douleurs qui n'avaient rien à voir avec les coups qu'elle avait reçus.

– Qu'est-ce que vous m'avez fait?

Un écho de panique avait percé dans sa voix.

– Je te l'ai dit plus tôt. Je t'ai offert le baiser d'un fer-de-lance.

Ajay paraissait légèrement offensé que Manson n'eût pas porté attention à cette révélation cruciale.

– Qu'est-ce que c'est? demanda-t-elle d'une voix chevrotante.

– Le fer-de-lance est le serpent le plus meurtrier d'Amérique centrale. Sans antidote, sa morsure est fatale en quelques heures pour l'être humain. Son venin contient une enzyme qui lui permet de prédigérer sa proie. C'est un poison hémotoxique qui amincit les parois des vaisseaux sanguins et leur fait perdre leur étanchéité. Résultat, le sang se répand dans les organes et provoque des enflures et des hémorragies internes.

Ajay examina Manson une seconde fois et promena tranquillement son regard sur sa chair livide comme si sa peau était diaphane et qu'il pût voir le poison à l'œuvre dans son corps.

– C'est vous qui les avez tués, n'est-ce pas? C'est vous qui avez tué tous ces gens et incendié leur demeure?

– Moi? interrogea l'homme avec surprise.

Il éclata d'un rire sinistre, visiblement amusé par cette accusation.

– Tu devrais écouter les nouvelles plus attentivement: le meurtrier est celui qui a incendié la maison et qui s'est immolé. D'ailleurs, tu n'as aucune idée de ce dont tu parles. Personne ne peut parfaitement comprendre les forces qui sont à l'œuvre dans cette histoire, y compris l'homme qui les a invoquées.

Interloquée, Manson balbutia:

– Je ne comprends pas.

Ajay se pencha sur Manson. Il savourait son inconfort, se délectant de sa peur.

– Pour répondre à ta question, je n'ai rien à voir avec cette série de meurtres et d'immolations.

Du moins, je n'ai commis aucun geste direct, mais j'ai fourni l'instrument qui a inspiré l'artiste responsable de ces crimes. Puisque c'est toi l'experte, à toi de me dire si je suis complice ou non.

— Écoutez-moi, je n'ai pas à entendre cette histoire. Je promets de vous laisser tranquille et de ne pas vous inculper si vous me détachez. Moins j'en saurai, mieux ce sera pour nous deux.

— Où est passée ta confiance en tes collègues? Tu disais qu'ils n'allaient pas tarder à te retrouver.

Manson risqua le tout pour le tout.

— Absolument et c'est pour cette raison que vous devez me laisser partir avant qu'il ne soit trop tard pour vous.

— Tu me prends réellement pour un idiot? Est-ce que c'est à cause du cliché qui dit que les personnes séduisantes sont sans cervelle?

L'homme fit un bond vers Manson et immobilisa son visage à quelques centimètres du sien. Elle détourna les yeux. Lorsqu'elle ramena tranquillement son regard sur Ajay, elle constata que son visage était encore plus hideux de près, tel un masque tissé avec des fragments épars de chair. Comme son animal fétiche, la longue balafre qui courait sur son visage ressemblait à un serpent.

Manson avait conscience qu'Ajay prenait un grand plaisir à l'effrayer avec son apparence. Elle aurait pu tourner la tête, mais elle redoutait d'attiser sa colère si elle le défiait. De plus, elle préférait ne pas offenser son geôlier dans l'espoir d'arriver à négocier avec lui. Ajay recula en lui adressant un sourire.

– D'accord, je vais écouter votre histoire, fit-elle.

– C'est drôle, railla-t-il. Tu me réponds comme si tu avais le choix.

Ajay s'interrompit. Les plis sur son visage ressemblaient aux rides d'une plaine désertique.

– Tu ne vas peut-être pas me croire, mais j'ai quelques antécédents criminels à confesser. Ce ne sont pas des délits majeurs puisque j'ai surtout œuvré dans la contrefaçon.

Manson avait l'impression qu'elle avait la tête comprimée dans un étau. Elle fut assaillie par une vague de fatigue. Ajay remarqua que son interlocutrice devait soudain lutter pour rester éveillée. Prenant conscience que le temps pressait, il poursuivit :

– Allons à l'essentiel et laisse-moi te parler de mon commerce le plus lucratif. Depuis quelques années, j'ai élargi mes affaires en me consacrant à la vente de livres rares. Je suis bibliophile, mais uniquement par souci d'argent. Je m'intéresse aux textes anciens et aux ouvrages publiés à petit tirage. Des livres qu'on ne retrouve pas dans les bibliothèques, mais dans des régions oubliées du monde entre les mains d'un saltimbanque ou sur la table d'un marchand dans un bidonville. Parfois, ce sont des manuscrits que la religion catholique considère comme une hérésie ou des ouvrages occultes qui renferment les rites d'initiation de sociétés secrètes. Des ouvrages qui prétendent réinventer la gnose ou la quintessence de la spiritualité. La plupart d'entre eux ne sont pas écrits en français ou en anglais, mais je peux te garantir qu'ils font quand même le plaisir des collectionneurs.

Ajay s'interrompit pour observer Manson qui luttait contre la torpeur. Une étincelle de courage lui colorait les yeux, mais son combat était perdu. Le poison poursuivait ses ravages. Ses veines avaient commencé à se vider dans la cavité abdominale, faisant baisser sa pression artérielle. L'état de choc n'était pas bien loin.

Ajay reprit :

– David Viau a été l'un de mes principaux clients. Il tenait à être le premier à consulter mes nouveaux livres avant que je les offre au reste de ma clientèle. Pendant de nombreuses années, il n'a rien acheté, mais il me payait cher pour que je continue à lui rendre visite. Je n'y voyais aucun inconvénient. C'était un moyen facile de me faire de l'argent sans avoir à me départir d'un seul de mes ouvrages. Tout ce que j'avais à faire était de le laisser parcourir les volumes que je lui apportais et, comme toujours, il s'en lassait rapidement en me priant de revenir le voir dès que j'aurais réuni quelques nouveaux titres. Je me rappelle les questions qu'il me posait. Il désirait en apprendre davantage sur l'esprit humain et les mécanismes de la pensée et prétendait ne pas être satisfait des ouvrages qu'il avait lus.

Manson avait la gorge sèche. Son teint était exsangue.

– Ironiquement, j'ai toujours été considéré

comme une personne mystérieuse, mais je peux te dire que j'ai bien peu de secrets en comparaison de cet étonnant psychiatre. Je savais qu'il cherchait quelque chose de précis juste à sa manière de feuilleter les livres que je lui ramenais. Un jour, j'ai finalement trouvé un ouvrage digne de son intérêt. Je n'en fus pas surpris étant donné les circonstances particulières dans lesquelles j'avais obtenu ce livre. Ce n'était pourtant pas durant un voyage au fin fond du monde que je l'avais déniché, mais lors d'une visite à New York. J'ai croisé dans une petite rue un itinérant qui vendait toutes sortes d'articles. C'était un gitan à la longue tignasse ramenée en nattes torsadées. Il avait la peau hâlée et crevassée comme s'il avait passé presque toute sa vie sous un soleil ardent. Son anglais n'était pas parfait, mais nous sommes arrivés à nous comprendre. Lorsqu'il a su ce que je cherchais, il m'a montré un vieil ouvrage sans titre et sans nom d'auteur : le genre de trouvailles dont raffolent les collectionneurs. Une couverture parcheminée et des pages jaunies augmentaient sa valeur de revente. Le gitan m'a raconté que le livre renfermait des techniques d'hypnose inédites utilisées pour guérir toutes sortes de maladies. Je n'en croyais pas un mot. Qu'importe, mon travail consiste à convaincre mes clients, et ce que je pense réellement a peu d'importance.

Les larmes aux yeux, Manson réalisait que son sort était scellé. Cet homme n'avait aucunement l'intention de la laisser partir, et c'était pour cette raison qu'il lui racontait cette histoire. Il avait fait d'elle un auditoire temporaire pendant qu'une dose fatale de poison l'amenait à son trépas.

– Je me souviens du sourire du gitan lorsqu'il m'a vendu le livre : un sourire étrange qui avait quelque chose de malsain. Lorsque je suis revenu au Québec, j'avais le sentiment que cet ouvrage plairait à David et je ne m'étais pas trompé. Le psychiatre a été fasciné lorsque je le lui ai remis entre les mains. C'est à croire que le livre avait réellement un pouvoir hypnotique. David l'a acheté et m'a ensuite annoncé que je n'aurais plus besoin de lui apporter mes nouveautés à l'avenir. Toutefois, il a tenu à connaître mes coordonnées en cas de besoin.

Manson avait les paupières lourdes et devait faire de grands efforts pour rester éveillée.

– Même si je ne crois pas à l'hypnose, je n'ai pas pu m'empêcher de feuilleter le livre avant de le remettre au psychiatre. Il avait été rédigé en anglais. Je dois admettre que le contenu était troublant et fascinant à la fois. Il y était question du parfait contrôle : l'hypnotiseur devait aussi s'hypnotiser une fois que son patient était en transe.

L'homme sourit. C'était la première fois qu'il abordait le sujet du livre depuis qu'il s'en était départi des années plus tôt. Il avait préféré taire ce qu'il savait jusqu'à aujourd'hui comme pour se tenir à distance d'un maléfice.

– D'après le manuscrit, notre conscience limite le pouvoir de notre esprit. Il y est écrit que nous ne pouvons réellement surpasser nos capacités que si nous apprenons à explorer notre inconscient. Ainsi, une fois l'hypnotiseur hypnotisé, il ne s'exprime plus avec les limites de sa volonté, mais il fait entendre la voix de son inconscient, atteignant un niveau de persuasion qui surclasse ses intentions. Le patient hypnotisé a aussi ouvert la porte de son inconscient, mais, plutôt que de commander, il fait preuve d'une réceptivité absolue. Ainsi, un pont se crée entre l'inconscient de deux personnes distinctes. L'un dicte et l'autre écoute. Les applications possibles de cette technique sont nombreuses, mais elles visent surtout la rémission de patients qui souffrent de désordres mentaux. Le thérapeute exerce une influence positive sur un patient qui n'est plus bloqué par la peur ou les dédales de sa maladie. Les liens entre le thérapeute et le patient permettent d'obtenir une guérison parfaite en supprimant totalement la déviance qui affecte l'esprit. Un langage unique que personne ne peut reproduire à l'état de veille et qui se répercute sur le patient dès que la session est terminée. Le livre donne un pouvoir qui permet de dominer totalement l'esprit.

Manson se mit à gémir.

– Allons, allons, fit Ajay sur un ton cajoleur, comme s'il s'adressait à un enfant capricieux. Un petit effort encore, car j'ai presque terminé mon histoire.

Il croisa les mains derrière son dos et reprit :

– Difficile à croire, toutes ces conneries sur l'hypnose. Un peu trop ésotérique, n'est-ce pas? Je n'y croyais pas moi-même jusqu'à ce que je tombe sur un bulletin de nouvelles rapportant les crimes horribles, les incendies et l'immolation des meurtriers. J'ai tout de suite su que David Viau était au centre de ces événements parce qu'il avait demandé à me voir deux semaines plus tôt. Cette fois, il ne s'intéressait pas à mes nouveaux livres; ce qu'il attendait de moi était très simple : il voulait que j'envoie une lettre par courrier électronique. Il disait qu'il n'était pas très familier avec Internet et, surtout, il prétendait que l'honneur d'acheminer ce message me revenait. Pour dire la vérité, je n'étais pas très intéressé, mais la somme d'argent qu'il m'a avancée m'a vite convaincu. Tout ce que j'avais à faire, c'était de rédiger une lettre intégralement et de l'envoyer à l'adresse électronique indiquée. Je ne savais pas que j'allais me retrouver impliqué dans une affaire aussi tordue, mais, au prix que David Viau m'avait payé, je me doutais bien qu'il pouvait y avoir des risques. Étrangement, je me disais que cette collaboration, aussi minime fût-elle, allait m'amener à commettre un crime plus grave que tout ce que j'avais fait dans le passé.

Ajay gratifia Manson d'un sourire sardonique.

— Je n'ai jamais tué personne jusqu'à aujourd'hui. Tu as l'honneur d'être ma première victime.

Les hémorragies internes faisaient tourner la peau de Manson au bleu-noir. Bientôt, le sang allait se répandre dans sa vessie et dans ses poumons, jusqu'à déformer sa cage thoracique.

– Je crois que même le psychiatre n'a pas conscience du pouvoir du livre. On pourrait presque croire que c'est le livre qui a choisi David et non l'inverse. Il lui a permis d'atteindre son ambition, mais en échange je suis persuadé qu'une part de son identité lui a été volée.

Manson n'avait même plus la force de gémir. Ses facultés l'abandonnaient. Elle n'était plus certaine de comprendre ce qui lui arrivait. Les formes valsaient devant ses yeux et les mots devenaient incohérents en créant un monde de confusion. Ce chaos rendait l'apparence de l'homme plus tolérable, son visage balafré étant moins effrayant. Les effets du poison s'intensifiaient et accéléraient la dissolution de son esprit. Un voyage tortueux qui, malgré tout, se faisait aussi dans une certaine douceur. L'engourdissement accru lui permettait de faire abstraction de ses douleurs, comme si son corps était plongé dans l'oisiveté et qu'il acceptait son sort.

– David a inversé le processus de guérison pour en faire une œuvre d'oppression. Je présume qu'il s'est servi de ses patients et, plutôt que de les aider, il a utilisé les méthodes du livre pour les contrôler. Mais, après avoir feuilleté cet ouvrage, je crois que les bienfaits qu'il proposait n'étaient qu'une illusion et qu'il invitait inéluctablement le lecteur à la corruption. On aurait dit qu'il s'agissait de l'œuvre du diable qui a trouvé sa voix en David.

Ajay posa un regard satisfait sur Manson. Il avait terminé son histoire et avait fait en sorte qu'elle ne puisse jamais la répéter. Ajay allait laisser le poison achever son œuvre. Ensuite, il ferait disparaître la jeune femme.

Il songea à l'insigne qu'il avait trouvé dans les vêtements de Manson. Est-ce que des enquêteurs débarqueraient réellement chez lui? C'était une possibilité, mais il était certain de pouvoir disposer du corps avant qu'on vienne l'interroger. Quoi qu'il advienne, Ajay était confiant de s'en tirer. Il avait la certitude qu'il était protégé par un pouvoir plus grand que ce qu'il pouvait imaginer. En aidant David, il se faisait le complice du diable.

— Avec ton poids et la quantité de poison que je t'ai administrée, j'estime qu'il te reste six heures à vivre. Je pourrais en finir tout de suite avec toi, mais les dernières heures précédant la mort sont précieuses et je ne tiens pas à te les enlever. Il est temps de te recueillir et d'implorer la grâce de ton Dieu si tu en as un.

Manson cilla. Le poison n'avait pas d'effet soporifique, mais l'affaissement progressif de son organisme l'amenait néanmoins à perdre conscience.

— Je vais te laisser seule. Lorsque je reviendrai, tu seras endormie pour toujours. Je m'occuperai de tes obsèques. Je ne sais pas si tes dernières volontés étaient d'être incinérée, mais, en revanche, je peux te dire que nous ne serons pas loin du même résultat après un bain d'acide sulfurique. J'ai de bons contacts et je peux compter sur eux pour obtenir ce genre de produit. J'ai trouvé tes clefs de voiture dans tes affaires et je ferai en sorte que ton véhicule disparaisse aussi.

Ajay tourna les talons. Avant de sortir, il jeta un regard par-dessus son épaule et dit:

– Peut-être que tes collègues viendront frapper à ma porte, mais, crois-moi, personne ne pourra prouver que tu es venue dans cette maison. Personne ne le saura à part moi. Je collectionne les secrets et je vais faire en sorte que ta visite en soit un. Toi et moi sommes les seules personnes à savoir la vérité sur David Viau. Une vérité qui échappe même au psychiatre.

Manson fut incapable de saisir ces derniers propos. Les couleurs s'altéraient devant ses yeux et le monde plongeait dans un univers monochrome.

Ajay éteignit la lumière et ferma la porte coulissante. Manson fut engloutie dans les ténèbres alors que son déclin se poursuivait.

Chapitre 36

Il ne manquait qu'une couverture pelucheuse et effilochée repliée sur les genoux du psychiatre pour lui donner l'allure d'un érudit qui se berçait tranquillement en évoquant des souvenirs nostalgiques. Toutefois, il dévidait un récit bien plus sinistre et, sous son vrai visage, David était un personnage froid et calculateur. Son esprit d'analyse avait effacé son humanité alors qu'il expliquait comment sa profession était devenue l'outil de sa vengeance.

– Que vient faire Laurent Hudson dans ton histoire?

– Simple diversion pour occuper les services de police. C'était un ami de Pierre Denis et je connaissais suffisamment son profil pour savoir qu'il risquait de devenir instable sans ses médicaments. Je connaissais aussi son psychiatre, Victor Landèle, et les prescriptions qu'il privilégiait. En me faisant passer pour Victor, j'avais fait envoyer un message à Laurent indiquant qu'il pouvait cesser sa médication. Je n'étais pas certain qu'il allait m'écouter, mais ce fut apparemment le cas.

Kerri ne s'était toujours pas remis du choc

occasionné par la présence de Vincent à ses côtés, docile et inexpressif. Il espérait que l'inspecteur retrouverait ses sens d'un moment à l'autre et lui viendrait en aide. Il n'avait pas encore perdu espoir de s'en sortir même s'il réalisait que ses chances diminuaient.

— Tu as créé des marionnettes en te servant de l'hypnose?

Kerri n'arrivait pas à croire que le succès de David reposait sur un concept semblable.

— L'hypnose est un instrument, une aiguille. Son véritable pouvoir réside dans la manière de l'exploiter. En logeant une personnalité dominante dans les méandres du cerveau, quelque part dans l'inconscient, je faisais de mes patients de véritables bombes à retardement. J'arrivais à réaliser ce tour de force à leur insu. Toutefois, mes patients étaient tous revenus me voir après leur thérapie. Ils ne savaient pas comment me l'expliquer, mais ils sentaient la manipulation que j'avais réalisée dans leur esprit. Un mal latent qui tardait à se définir et qu'ils redoutaient tous. Ils me confessaient les rêves horribles qui les empêchaient de dormir. Des cauchemars épouvantables où ils perdaient leur identité. Je m'efforçais de les rassurer en leur rappelant les énormes progrès qu'ils avaient accomplis et j'attribuais leurs rêves à une insécurité à vivre en société.

David avait baissé la voix, adoptant un ton de confidence. Kerri ricana.

— Comment arrivais-tu à convaincre ces gens de t'obéir? demanda-t-il. Un petit coup de téléphone et tu demandais à parler à la personnalité en chef pour qu'elle exécute le travail?

– Au cours de leur thérapie, mes patients devaient m'apporter un objet qui leur était cher. Sous hypnose, je leur faisais oublier qu'ils me l'avaient donné et je créais le souvenir qu'ils l'avaient perdu. Je me servais de cet objet comme d'une clef qui activait le mécanisme de la personnalité dominante. Une fois mes patients programmés, il ne me restait plus qu'à choisir le jour de vos exécutions respectives. Francis leur faisait parvenir leur objet personnel par courrier. Dès qu'ils le voyaient, le processus s'enclenchait et je pouvais être certain qu'ils ne reculeraient devant rien pour atteindre leur objectif. Francis et moi connaissions les habitudes de vie de nos victimes. Nous étions presque certains que ces gens se trouveraient à leur domicile lorsque l'objet était expédié. Mes patients savaient qui ils devaient tuer et comment trouver cette personne. J'avais imprimé dans leur subconscient tout ce qu'ils avaient besoin de savoir. Ils devaient aussi mettre fin à leurs jours en s'immolant. Le feu est un complice parfait, puisqu'il détruit toutes les preuves. De plus, c'était un symbole de destruction qui me plaisait.

– C'est impossible. Ce que tu dis n'a aucun sens.

– Vois où tu es et regarde-moi, fit David en désignant son fauteuil. J'ai préparé ma vengeance depuis vingt ans et je peux te dire que rien n'est impossible.

Kerri secouait la tête, continuant de nier.

— Heureusement que j'étais celui qui conservait tous les objets personnels. Francis venait les récupérer un à la fois avant de les envoyer au patient concerné. Il m'a appelé juste avant de se livrer à la police. J'ai tenté de le dissuader, mais il ne m'a pas écouté. Je savais qu'il risquait de parler. Le temps pressait.

David jeta un regard admiratif à l'inspecteur.

— Si Vincent est si parfait, pourquoi ne s'est-il pas occupé de chacun de nous?

— Une fois que je lui ai présenté son objet personnel, sa personnalité dominante a émergé. Plutôt que de le transformer en automate programmé pour une seule mission, j'ai fait de Vincent un sujet asservi qui obéissait à la moindre de mes paroles. Par contre, il ne peut pas assimiler plus de quelques ordres à la fois. Il n'est efficace que si je reste à ses côtés pour lui dicter sa conduite. Il était donc impensable qu'il puisse arriver à tous vous avoir. N'empêche, Vincent est ma plus grande réussite.

Kerri chercha à croiser le regard de l'inspecteur. Il siffla dans l'espoir d'attirer son attention et de briser l'emprise de l'hypnose, mais sa tentative fut vaine. Vincent demeurait imperturbable.

— Ironique, n'est-ce pas, que j'aie à mon service l'homme qui mène une enquête sur les crimes que j'ai orchestrés? Pourtant, Vincent était venu me voir peu de temps après les événements où il faillit tuer un pédophile. Il n'aimait pas le psychologue qui lui avait été référé et il demanda à me consulter secrètement en me faisant promettre de n'en parler à personne. Au cours de ma carrière, je ne me suis pas uniquement occupé de personnes souffrant de problèmes psychiatriques. Depuis quelque temps, je faisais un peu de consultation auprès des citoyens pour élargir mes horizons. Quelques-uns furent l'objet de séances d'hypnose. Ce fut très décevant. Ma technique ne fonctionnait que sur une personne souffrant d'un trouble dissociatif de l'identité.

David marqua une pause pour étudier les réactions de Kerri. Son visage glabre et pâle paraissait luminescent dans la simple clarté des bougies.

– Heureusement, Vincent se révéla un cas d'exception. Même si le trouble dissociatif était à peine développé en lui, le germe existait et j'ai su l'exploiter pour arriver à mes fins et atteindre un nouveau niveau de contrôle. Vincent était si parfait qu'à sa dernière consultation j'ai poussé la séance de régression encore plus loin que tout ce que j'avais expérimenté. J'ai fait en sorte qu'il ne garde aucun souvenir de nos rencontres et des séances d'hypnose auxquelles je l'avais soumis. Je lui ai fait oublier qu'il m'avait apporté un objet personnel et je me suis entièrement effacé de sa mémoire. Tu ne peux pas imaginer ma surprise lorsque j'ai su qu'il voulait me rencontrer. Je ne savais sincèrement pas à quoi m'attendre. Pourtant, j'étais certain de ne pas être démasqué. Vincent m'a posé des questions sur son enquête et m'a abordé comme si nous nous rencontrions pour la première fois. Et ce fut tout. J'avais son portefeuille avec moi durant notre conversation, mais je n'ai pas eu à m'en servir. Il a quitté sans se douter que j'étais non seulement l'artisan qui avait provoqué les événements de son enquête, mais aussi le "trafiqueur" d'esprit qui avait le pouvoir de le transformer en serviteur. Qu'il s'agisse du destin ou du hasard, les circonstances m'ont été extrêmement favorables. Il y a de nombreux enquêteurs dans cette ville et, pourtant, aussi improbable que cela puisse paraître, ce fut Vincent qu'on chargea d'élucider cette affaire.

Kerri s'agita sur son siège. Le fil cisaillait sa chair. Bien qu'il n'eût aucune chance de se libérer, il ne pouvait pas s'empêcher d'essayer. Il avait besoin de se sentir vivant alors qu'il était si près de la mort. David poursuivit sans lui prêter la moindre attention.

– Je n'avais pas l'intention de faire intervenir Vincent, mais je n'ai pas eu le choix avec l'échec de Yan et la trahison de Francis. Les patients sont programmés pour un crime précis et je ne pouvais compter sur aucun d'entre eux pour me protéger. Puisque Vincent était impliqué dans l'enquête, je me suis servi de lui pour t'attirer à mon domicile. Une fois à l'intérieur, je n'avais plus qu'à activer le mécanisme de contrôle. J'étais dans la dernière pièce au bout du couloir et je regardais à travers la porte par un œilleton installé à ma hauteur. Dès que Vincent a vu le portefeuille, je suis sorti pour lui donner l'ordre de te neutraliser.

Kerri observait Vincent en espérant encore

que l'inspecteur revienne à lui. Mais l'allié avait disparu et seul l'ennemi subsistait.

– Je savais que la mort de Jérémy Frégeault changerait le cours de tes recherches puis que tu arriverais peut-être à faire le lien et à remonter jusqu'à moi. J'étais conscient de jouer avec le feu en choisissant de t'éliminer en dernier, mais c'était important pour moi. Après tout, c'était toi qui conduisais le jour de mon accident.

C'était vrai. Kerri réalisait que si Jérémy était mort en premier, l'altercation entre Édouard et ses hommes aurait possiblement pu être évitée. Kerri n'aurait pas disposé d'autant de temps pour réagir si Alexandre était mort en deuxième. S'il n'avait pas fait de ses partenaires des ennemis, cette histoire aurait pu prendre une tournure bien différente.

– Mon seul regret est d'avoir mal évalué mon complice. J'aurais dû savoir que Francis n'irait pas jusqu'au bout et qu'il serait incapable de causer la mort de son ex-femme. Cette histoire de boules de mercure en était la preuve. Dire que cet idiot aurait pu faire échouer mon plan. Je pensais que sa femme l'avait suffisamment fait souffrir pour garantir sa loyauté, mais il faut croire que je m'étais trompé.

David grimaça. Pour la première fois, il se montra légèrement irrité.

– Une fois le meurtre commis, Francis avait émis la possibilité que le patient puisse paniquer et prendre la fuite plutôt que de s'immoler. Je jugeais ce risque négligeable. Vois-tu, sous hypnose, j'avais amené des patients à se brûler avec du café sans broncher. À leur réveil, je trouvais une excuse pour expliquer ce qui s'était produit et jamais aucun d'eux n'a mis en doute ma version des faits. Je savais que ma technique était fiable et que mes sujets feraient exactement ce que je voulais. Mais Francis insistait pour que nous prenions des précautions. C'est pour cette raison qu'il avait proposé de déposer des boules de mercure devant les grilles de ventilation dans les voitures pendant que le patient commettait son crime. Je m'y étais formellement opposé. Je n'en voyais pas l'utilité et c'était beaucoup trop risqué. Il s'agissait d'un indice que je ne voulais pas laisser à la police, et Francis risquait d'être vu par un témoin alors qu'il déposait les boules de mercure à quelques mètres du lieu du crime. D'ailleurs, c'était une proposition ridicule puisque le mercure ne pouvait pas agir assez rapidement. J'insistai et Francis s'est finalement rangé à mon opinion. Mais j'aurais dû savoir qu'il n'en ferait qu'à sa tête. Il n'était pas prêt à tuer son ex-femme et il avait inconsciemment le désir de se faire prendre avant que ne vienne le tour d'Olivia. Pourtant, je sais qu'il n'a pas éveillé les soupçons de Vincent lorsqu'ils se sont rencontrés. J'imagine que Francis était encore confus à ce stade des événements, disputé entre l'idée de me trahir ou celle de punir Olivia. J'ai su pour le mercure lorsqu'il m'a appelé avant de se livrer à la police. Si j'avais obtenu cette information plus tôt, j'aurais pris les mesures nécessaires pour l'arrêter.

David jeta un regard à Vincent pour indiquer quel aurait été ce moyen.

– Malgré quelques changements au programme, je suis satisfait du résultat final. J'en sors même gagnant puisque l'implication de Vincent m'a permis de te confesser mon histoire. Je suis heureux que tu connaisses la vérité avant de mourir. C'est encore mieux que ce que j'avais prévu.

Ayant cessé de se débattre dans ses liens depuis un moment, Kerri songea à Alexandre. Ses souvenirs avaient une résonance douloureuse alors qu'il savait que sa fin approchait. Il repensa à un voyage aux Bermudes où il avait accompagné Alexandre et Maryse six mois avant leur mariage. Il revoyait les amoureux danser le flamenco, à la lueur des bougies, dans un bar. Les flammes ondoyaient, se mouvant langoureusement comme si elles se laissaient aussi entraîner par la musique veloutée. Assis au comptoir, un verre à la main, Kerri avait refusé les avances d'une jolie touriste au teint basané. Ce soir-là, il était absorbé par les deux amoureux qui dansaient. Il n'y avait aucune convoitise dans son regard; Kerri était sincèrement heureux pour son ami qui avait trouvé l'amour de sa vie. Alexandre méritait la félicité. Il réalisait aussi combien l'attitude du couple avait continuellement été irréprochable à son endroit. Son partenaire avait toujours partagé cette étincelle de bonheur plutôt que de la garder jalousement pour lui. Il n'avait jamais considéré Kerri comme une menace et il avait fait de lui son plus grand ami. Sa sincérité le touchait profondément, apaisant le côté ténébreux de sa personne. L'empathie d'Alexandre avait constitué une bouée qui l'avait empêché de sombrer dans un tourbillon de violence. C'était pour cette raison que cet échec était insupportable à Kerri; non pas parce qu'il allait mourir, mais parce qu'il avait été incapable de rendre justice à son ami.

Kerri sentait sa volonté fléchir. Une partie de lui refusait de s'avouer vaincue, mais le côté rationnel de son esprit réalisait que l'affrontement était terminé et qu'il avait perdu. David avait préparé sa vengeance depuis des années, élaborant un plan complexe qui lui avait assuré la victoire. Kerri devait reconnaître que la perversité du psychiatre était sans égal. C'était ce qui avait fait de lui un adversaire aussi redoutable.

À la lumière des bougies, la peau de David était laiteuse, presque diaphane, comme le portrait évanescent d'un fantôme qui s'évanouirait aux premières lueurs du jour.

– Il est maintenant temps pour le diable de réclamer son dû.

Kerri ne fut pas surpris que le psychiatre emploie cette métaphore pour conclure son récit.

David fit signe à Vincent de s'avancer. L'inspecteur s'immobilisa à la droite de Kerri qui sentit le canon du Walther P99 pressé sur sa tempe. Le policier acceptait sa dernière heure, bien qu'il eût préféré venger Alexandre plutôt que de mourir en cherchant à y parvenir. Indifférent à la pression de l'arme, il se retourna pour regarder son bourreau droit dans les yeux. Kerri se montrait encore arrogant, refusant que son visage soit flétri par la peur au moment où la balle se logerait dans sa tête. David contemplait la scène avec admiration. Ce moment était l'aboutissement de plusieurs années d'organisation. Quant à Vincent, ses traits restaient voilés dans la pénombre comme si la lumière des bougies se détournait d'un visage aussi sinistre.

Le coup de feu retentit. La balle traversa la boîte crânienne et elle émergea en propulsant des fragments sanguinolents qui constellèrent le sol. La mort de Kerri fut instantanée.

Vincent fit un pas en arrière. Il ne trahissait aucune émotion.

Cette fois, le psychiatre n'arriva pas à se contrôler. Les yeux rivés sur la dépouille du policier, il pleurait à chaudes larmes.

Chapitre 37

Sur l'ordre de David, Vincent avait récupéré un bidon d'essence au garage. Il arrosa les canapés et le linoléum. Il en versa sur Kerri et s'aspergea aussi le corps. Les forts effluves lui piquaient les narines, mais il ne prêta pas attention à ce désagrément.

– N'est-ce pas merveilleux? fit David. Le diable et son apprenti vont être consumés dans le même enfer. Nous allons fondre le divin et l'humain dans un couloir de feu.

Vincent conservait une expression neutre et ne manifestait aucune résistance dans les gestes qu'il exécutait; l'automate parfait dépouillé de toute contrainte d'identité.

Après avoir fini de verser l'essence, l'inspecteur posa le bidon vide dans un coin du salon. Il retourna docilement auprès du psychiatre qui le regardait avec fierté.

– J'ai été très privilégié de vivre assez longtemps pour me faire justice. Maintenant, mon ami, il est temps d'en finir. Aucune victoire ne pourra être plus grande que celle-ci, et il faut mourir avec elle pour la savourer à jamais.

Le psychiatre fouilla dans sa poche de chemise

pour récupérer une boîte d'allumettes en bois. Ses mains tremblaient légèrement lorsqu'il en prit une qu'il retourna délicatement entre ses doigts. Son corps était parcouru d'un frisson d'excitation et il se sentait investi d'une profonde sérénité.

Vingt ans plus tôt, la mort l'avait approché. Elle lui avait d'abord fait perdre l'usage de ses jambes comme un enfant arrachant les ailes d'une mouche dans un jeu cruel. Puis, elle s'était ravisée sur son sort et, plutôt que de l'achever, elle s'était montrée clémente en lui accordant du temps. Maintenant qu'il avait assouvi sa vengeance, David pouvait partir en paix. Il était prêt à se laisser bercer à nouveau dans les bras de la mort et à fermer les yeux à jamais.

– Après toute cette violence, qui aurait cru que cette histoire se terminerait avec une simple étincelle?

Sur ce, il gratta l'allumette et la laissa tomber. Elle gagna le sol sans s'éteindre. Le feu s'éveilla et les flammes se répandirent rapidement. Bientôt, tous les souvenirs, bons et mauvais, seraient réduits à l'état de cendres.

Épilogue

Son esprit chaotique connaissait enfin la plénitude. Vincent ne cherchait pas à combattre le changement qui le gouvernait. Pourquoi refuser un moment d'accalmie figé dans l'éternité où le tumulte de sa vie passée lui apparaissait comme un mauvais souvenir? Il n'y avait plus qu'une seule ligne de conduite à suivre; une ligne dont l'asservissement n'était pas synonyme d'obéissance, mais d'utopie. Son esprit était purifié, débarrassé des contraintes et de l'hésitation. En venant ici, Vincent n'avait pas résolu son enquête, mais il avait percé le mystère de son existence.

La chaleur s'intensifiait. Vincent lutta pour ne pas se laisser incommoder par les effets de la fumée. Les flammes s'approchaient et, bientôt, elles le consumeraient à son tour. Il ne chercha pas à s'enfuir. Son corps était prêt à rejoindre la célébration du feu. Cette idée le séduisait au lieu de l'effrayer. Il ne se considérait pas dans une situation périlleuse, mais salvatrice, car il savait qu'il allait bientôt faire partie de quelque chose de merveilleux. Il savait qu'un équilibre parfait cherchait à s'établir, et Vincent ne souhaitait pas défier la nature des éléments. La vie qu'il laissait derrière était bien futile comparée aux nouvelles promesses qui s'offraient à lui. Il allait se fondre dans la lumière et connaître la quintessence de l'être.

Le feu se répandait avec une avidité insatiable dans le salon. À sa morsure, les rideaux s'embrasèrent, le papier peint se racornit et le linoléum grésilla.

Soudain, Vincent entendit un cliquetis sur sa gauche, comme une chiquenaude sur une coupe de cristal. Curieusement, ce son se détacha clairement dans le fond sonore des flammes qui dévoraient la maison. Vincent se tourna vers le psychiatre. Il vit David remuer sur sa chaise. Et le plus grand des miracles se produisit.

David Viau se leva.

Le paraplégique quitta son siège.

Un second miracle advint.

Le corps du psychiatre irradia d'une luminescence aveuglante.

Les effets de la fumée commençaient à embarrasser Vincent. Il fut pris d'une violente quinte de toux. Ses yeux chauffaient et il s'efforçait de les garder ouverts pour ne rien manquer de ce qui se passait.

L'émission de lumière enfla et le contour de la silhouette fut auréolé, modelant une forme qui n'était plus tout à fait humaine. Le lustre et l'éclat de la silhouette altéraient sa substance et il fut impossible pour Vincent de voir clairement la subtilité des changements. Il remarqua toutefois que la forme élancée était parcourue d'oscillations; une lumière vivante qui abritait un corps humain derrière sa nouvelle composition. Vincent s'attarda au visage et, derrière le masque de lumière, il parvint à discerner des traits qui lui rappelèrent ceux de David sans être tout à fait les siens. Le masque lui adressa un sourire et Vincent tarda à réaliser que ce rictus était en feu.

Bien qu'il fût toujours sous l'emprise de l'hypnose, Vincent arriva à s'interroger sur ce dont il était témoin. Était-il victime d'une hallucination ou ce phénomène était-il réel? Les effets de la fumée avaient-ils altéré ses perceptions? Difficile pour lui de savoir. Mais, tout comme le feu qui s'étendait, Vincent croyait ce qu'il voyait. Son esprit acceptait l'image comme réelle plutôt que de la réduire à une affabulation; il n'était pas question de rejeter ce miracle en le combattant avec la logique. Il connaissait l'harmonie pour la première fois de sa vie et rien n'allait le soustraire à cet émerveillement.

À son tour, Vincent adressa un sourire à l'entité de lumière. Il était prêt à suivre son guide là où il choisirait de l'entraîner. Les flammes fondirent sur lui et il se transforma en torche vivante.

Remerciements

J'aimerais remercier mes parents qui sont deux êtres exceptionnels. Merci à Émilie Béland, Edward Aust et Monique Plante pour des raisons bien différentes et fortement appréciées. Un grand merci à Louis Grignon qui a écouté les premières versions décousues de mes histoires avec patience et intérêt alors que n'importe qui d'autre aurait cherché à me faire interner. Merci aussi à tous ceux et celles qui font partie de ma vie et que je néglige trop souvent.

DISTRIBUTEURS EXCLUSIFS

Distributeur pour le Canada et les États-Unis
LES MESSAGERIES ADP
MONTRÉAL (Canada)
Téléphone : (450) 640-1234 ou 1 800 771-3022
Télécopieur : (450) 640-1251 ou 1 800 603-0433
www.messageries-adp.com

Distributeur pour la France et autres pays européens
HISTOIRE ET DOCUMENTS
CHENNEVIÈRES (France)
Téléphone : 01 45 76 77 41
Télécopieur : 01 45 93 34 70
www.histoire-et-documents.fr

Distributeur pour la Suisse
TRANSAT S.A.
GENÈVE
Téléphone : 022/342 77 40
Télécopieur : 022/343 46 46

Dépôts légaux
Bibliothèque nationale du Canada
Bibliothèque et Archives nationales du Québec, 2007